Klaus Seybold

Profane Prophetie

Stuttgarter Bibelstudien 135

Herausgegeben von
Helmut Merklein und Erich Zenger

Klaus Seybold

Profane Prophetie

Studien zum Buch Nahum

Verlag Katholisches Bibelwerk GmbH
Stuttgart

CIP-Titelaufnahme der Deutschen Bibliothek

Seybold, Klaus:
Profane Prophetie: Studien zum Buch Nahum:
[Hans Joachim Stoebe zum 80. Geburtstag] / Klaus Seybold. –
Stuttgart: Verl. Kath. Bibelwerk, 1989
(Stuttgarter Bibelstudien; 135)
ISBN 3-460-04351-2

NE: Stoebe, Hans Joachim: Festschrift; GT

Gesamtherstellung: Wilhelm Röck GmbH, Weinsberg

Hans Joachim Stoebe
zum 80. Geburtstag

Inhaltsverzeichnis

Vorwort

Anlaß zu dieser Studie war die Arbeit an einem Kommentar zu Nahum – Habakuk – Zefanja (Zürcher Bibelkommentare, erscheint voraussichtlich 1989). Mehr und mehr faszinierten mich diese weniger bekannten Propheten, und dies nicht nur als Vorläufer und Vorbilder des „großen" Jeremia. Vor allen andern schien es mir, daß Nahum in der Auslegungsgeschichte nicht das Recht geworden war, das ihm zukommt, ja, daß man ihm offensichtlich Unrecht angetan hat. Ihn – und das heißt: das Buch Nahum – besser zu verstehen, war das Ziel dieser Studie.

Mein Dank gilt den Herausgebern der Stuttgarter Bibelstudien, die mir nun schon zum dritten Mal mit einer Arbeit zu den Kleinen Propheten Gastrecht gewährten. Dank gebührt auch meinen beiden Mitarbeitern, Herrn stud. phil. et theol. Thomas Schneider, der mir in ägyptologischen Fragen sehr hilfreich war, und Herrn cand. theol. Beat Huwyler, der sich des schwierigen Manuskriptes angenommen hat.

Ich widme diese Studie meinem verehrten Vorgänger in Basel im Gedenken an viele Begegnungen und Gespräche.

Basel, November 1988 Klaus Seybold

ucheinheit und darum gegen die Annahme einer primär propheti-
Schau dieser Art sprechen.
I. Schulz[21] (1973), wie *C. A. Keller* methodisch mehr der Synchronie
lichtet, setzt im Unterschied zu diesem die Entstehung des „Prophe-
uches“ als literarische Einheit in die exilisch-nachexilische Zeit und
nnt als Ausgangsbasis für seine Analyse so ein „schriftstellerisches
ukt“ von „kohärentem literarischen Zusammenhang“ und mit „litur-
er Gesamtorientierung“.[22] Aus Gründen methodischer Stringenz
chtet *Schulz* auf den diachronen Aspekt und die Frage nach der
unft der Teilstücke und Einzeltexte. Konsequent ist darum seine
immung der Schrift als eine, im 5. Jahrhundert zur Pseudepigraphie
ordene und als solche zu deutende, Prophetenbuchkomposition,
ohl er für einige der „Theophaniehymnus“, „Schlachtgesang“,
ttqina“ genannten Einheiten eine Vorgeschichte postulieren muß.
s Nahumbuch ist also das Werk eines Verfassers, der einen Gesang
die Schlacht in Ninive und eine Spottqina auf Ninive, in differenzier-
omposition, mit einem Theophaniehymnus und einem Heilswort auf
zu einem Prophetenbuch verband. Seine Kompositionsmethode ist
ch. Er bediente sich größerer, z. T. vorgegebener Einheiten, die er
h neue Rahmungen und Umstellungen zu eigentlichen Propheten-
ten formte. Sukzessive Wachstumsprozesse sind also nicht anzuneh-
.“[23] Der letzte Satz ist typisch für die selbstauferlegten Zwänge der
umentation.[24]
methodisch reflektierte und kontrollierte, ausschließlich redaktions-
isch ausgerichtete Arbeit sucht den Sinn des Buches querschnittartig
der nachexilischen Situation zu erklären. Der Verfasser weiß selbst,
er dabei andere Aspekte ausblendet. Doch führt eine derart abstra-
te Methodenisolation bestenfalls zu Zwischenergebnissen und ver-
hlässigt bewußt, aber mit fatalen Folgen, die historische Dimension
Entstehung der arrangierten und redigierten Texte. Darum ist der
rag des Experiments nur partiell, eben im Blick auf die Buchgeschichte

as Buch Nahum. Eine redaktionskritische Untersuchung, BZAW 129 (1973).
bda. 133.
ic, ebda. 105.
er Satz gegen *Jeremias* S. 137 ist ein bedauerlicher Mißklang. Auf der andern
eite wird *Rudolphs* knappes Urteil einer „Darstellung“, „die dem Propheten
ahum systematisch das Lebenslicht ausbläst“ (KAT 147), der Arbeit von
chulz nicht gerecht.

I. Einleitung

Das Urteil über den Propheten Nahum lautet in der neueren Forschung im allgemeinen wenig günstig. Zwar wird der Prophet als Dichter gerühmt. So schreibt *E. Sellin:* „Daß Nahum seine Gedanken zum Teil in einzigartiger poetischer Schönheit, in einer durch Kraft der Empfindung, Wohllaut und kunstvollen Aufbau hervorragenden Dichtung vorgetragen hat, ist von allen Seiten anerkannt.“[1] Mag dieser Konsens noch gelten, so gibt es ein fast ebenso verbreitetes Einverständnis darüber, daß Nahum – wie es *B. Duhm* formuliert hat – „mehr Dichtung als Prophetie“[2] geboten habe und daß ihm als „Visionär und Dichter“ *(M. Haller)*[3], doch weniger als Prophet, Anerkennung gebühre. Das in der Literatur häufig anzutreffende Unbehagen an Nahum bringt *M. Haller* auf die vorsichtige Formel, daß das Buch leider zu den Stücken des Alten Testaments gehöre, „die nt.lichem Empfinden am fernsten stehen“.[4]
Der Grund für solche Einschätzung ist ganz offensichtlich das ihm „von allen Seiten“ unterstellte Haß- und Rachemotiv. Auch wenn der Versuch gemacht wird, diese angeblich aus „Haß und wilder Schadenfreude“ *(W. Staerk)*[5] – um nur ein Beispiel zu zitieren – entstandene Dichtung aus dem Patriotismus zu verstehen, der nun einmal zu einem „nationalen Prophetentum“ gehöre, klingt ein abwertender Ton im Bedauern mit: „In der ungeheuren nationalen Leidenschaft liegt die Größe, aber auch die Grenze der Prophetie des Nahum“, ist *K. Elligers* Fazit.[6] Das Stichwort, zu dem eine derartige Einordnung führt und von dem die Diskussion weithin bestimmt war, ist der Begriff ‚Heilsprophet‘, gelegentlich mit dem Beiwort ‚national‘ versehen.[7] In diesem Klischee-Wort konnte untergebracht werden, was von Nahum zu halten war, und es ist gewiß keine Übertreibung zu sagen, daß Nahum als Prototyp und Inbegriff eines ‚Heilspropheten‘ gehandelt wurde und noch wird. Zudem ließ die Nähe des

[1] KAT 311.
[2] Zwölf Propheten XXVIII. „Man liest die Schrift als *Dichtung* mit Genuß...; es scheint, daß ein Dichter... unwillkürlich die prophetische Redeweise anwandte“, Israels Propheten 200.
[3] RGG² 407.
[4] Ebda. 407.
[5] Ablehnend zitiert von *Sellin* 310. – Auffallend ist, wie häufig das Wort ‚Haß‘ in diesem Zusammenhang vorkommt.
[6] ATD 3. Vgl. vor allem die Verteidigung durch *Mihelic*, Concept.
[7] Vgl. *Eißfeldt* 561; *Childs* 441 f.

nationalen Heilspropheten zu den sogenannten falschen Propheten zu, auch ihn in das Zwielicht eines prophetischen Propagandisten zu rücken, was der allgemeinen Wertung entgegenkam.[8]

Als Begriff und Vorstellung des Heilspropheten wegen ihrer wenig konkreten Aussage mehr und mehr in den Hintergrund traten, gewann eine andere, aber ebenso klischeehafte Kategorie die Oberhand, nämlich die des Kultpropheten. Wohl wegen des hymnischen Introitus in Kap. 1 und wegen der Festaufrufe in 2,1 glaubte man, die Nahumtexte nach Form und Funktion als kultisch-liturgisch bestimmen zu können. Den Höhepunkt dieser Auffassung bildet die These *P. Humberts,*[9] die besagt, daß das Buch Nahum die Festliturgie einer kultischen Feier angesichts des Untergangs Ninives im Jahre 612 v. Chr. darstelle und Nahum der Verfasser des „‚libretto‘ de ‚l'Agende‘ de cette fête“ gewesen sei.[10]

Folgende Beiträge der neueren Forschung waren es vor allem, die Bewegung in die wissenschaftliche Diskussion gebracht haben.

(1) *J. Jeremias* vertrat (1970) in seiner eingehenden Untersuchung zur Kultprophetie[11] die Auffassung, Nahum sei weder Heilsprophet im Sinne der üblichen Definition noch Kultprophet gewesen. Vielmehr hätte ihn erst die Überlieferung dazu gemacht, indem sie verschiedene, ursprünglich gegen Juda und Jerusalem gerichtete Prophetenworte alsbald umadressiert und gegen Ninive, bzw. gegen Babylon gelenkt hätte. Diese Bearbeitung betreffe die Texte 1,11–14; 2,2–3; 3,1–5.8–11. Ermöglicht sei diese Umdeutung durch die Dominanz der Ninive-Worte des Kontextes. Spuren der Bearbeitung fänden sich auch in 2,1 (nach Jes 52,1.7) und in 1,2bf.9f.12f, wo ein innerisraelitisches Thema der exilisch-nachexilischen Zeit zur Sprache käme.

Diese zuletzt genannten Beobachtungen fanden insgesamt eine freundliche Aufnahme, während die These der exilischen Umadressierung auf

[8] Vgl. *Fohrer* 496. Besonders deutlich *H. Schmidt* SAT 248; *de Vries,* Acrostic 476ff; *Wilson*, Prophecy and Society 276ff. Entsprechend versteht *Haldar* das Buch als eine politische Propagandaschrift kultischer Kreise in Jerusalem, Studies.

[9] Vgl. die Bibliographie X. Ähnlich auch *Lods*, Trois études, und wieder *Coggins*, Alternative tradition 77ff; *Blenkinsopp*, Prophecy 146ff.

[10] *Humbert*, Essai d'analyse 280. Schon *Haupt* dachte an eine Liturgie für den Nikanortag am 13. Adar des Jahres 161, Buch Nahum. *Fohrer* spricht dann von einer „Kantate“ (in Anlehnung an *J. Lindblom*), 495, auch *Kuhl*, Israels Propheten 86.

[11] Kultprophetie und Gerichtsverkündigung in der späten Königszeit Israels, WMANT 35 (1970) 11–55.

Ablehnung stieß.[12] Die Gegenargumente sind v
Schulz[14] vorgetragen, von *B. Renaud*[15] u. a. err
mißte die überzeugende Begründung der Thes
meinte, daß, was für Hab 2 plausibel schien,[16] n
bar sei und daß in den erhaltenen Nahum-T
Invektiven gegen Juda-Jerusalem nicht aufzuwe
(2) *C. A. Keller* geht in seinem Kommentar[17] (
aus, daß das Buch Nahum in die 60er Jahre
datieren und daß es als eine literarische Einheit
seien alle theologischen und mythologischen Qu
tigung“ des Phänomens der totalen Weltherrsch
mes aufzufassen in dem Sinne, daß die gottwi
kosmische Ordnung der Gottesherrschaft gewie
liquidiert wird.[18] Der Prophet steuere mit seine
Magie anklingenden Gedichten und Liedern („po
Seine zur Entmachtung der Mächtigen bei. „De
dominiert das Denken Nahums: nicht das konkr
unwiderruflichen Einmaligkeit, sondern die mythi
zugrundeliegt und die sich im angeblich einmalige
mehr auswirkt, nämlich der unvermeidliche, wei
kerte, Sieg der Ordnung über die Unordnung.“[19]
Diese Auffassung[20] steht und fällt mit der genann
Abfassung des Buches durch Nahum um die Mit
Nur dann sind die Belijaal-Benennung und die my
allem des Hymnus 1,2ff als Elemente jener umfass
Schau eines „transzendentalen“ Ereignisses beg
schwerwiegende literarische Gründe, die gegen die

[12] Vgl. *Rudolph* z. B., 178f.

[13] *Keller*, Bewältigung 400–407.

[14] *Schulz*, Nahum 135–153.

[15] *Renaud*, Composition 199ff.

[16] *Jeremias*, Kultprophetie 57ff.

[17] CAT XIb 99–134; *ders.*, Die theologische Bewältig
Wirklichkeit in der Prophetie Nahums: VT 22 (1972) 3

[18] Vgl. die Überschriften: „Ninive, Typos ordnungswidrig
als Ordnungsmacht“ (415).

[19] Ebda. 418.

[20] *Keller* bezieht sich auf *W. Staerks* Artikel: Zu Habakuk
1–28, und übernimmt dessen Gedanken zur Bedeutun
Anm. 1.

akzeptabel, während die Entstehungsgeschichte der Texte als Vorgeschichte des Buches anderer Untersuchungsmethoden bedarf.[25]

(4) *W. Rudolph* hat mit seinem Kommentar[26] (1975) das Textverständnis erheblich verbessert. Mit dem Fundus seines historischen und philologischen Wissens hat er viele Textstellen im einzelnen erhellt und geklärt.[27] Dabei ist seine Gesamtauffassung des Buches eher konservativ zu nennen. Das Buch gilt ihm als eine Einheit, von Nahum im ganzen selbst verfaßt und niedergeschrieben (*sēpēr* 1,1), weil Nahum – dessen Wirken er vor dem Tode Assurbanipals (vor 630) ansetzt – „zunächst nur auf schriftlichem Wege wirken konnte", da er sich sonst dem sicheren Tode ausgesetzt hätte. Er schrieb das Buch als eine Art „Flugschrift" für die Gemeinde der „Frommen". Es wurde „unter der Hand weiterverbreitet". Nahum wußte sich nach *Rudolphs* Auffassung „als Sprecher seines Gottes Jahwe", der in Vollmacht redet.[28] So war er ein „Tröster" der Jahwetreuen: „alles, was die Nahumschrift, abgesehen von den direkten Niniveorakeln, enthält, dient dem Bestreben, diese Orakel gegen Einwände zu sichern und Bedenken der Kleingläubigen zu zerstreuen". Und „der Glaube, mit dem Nahum die Frommen seiner Zeit tröstete", gilt „für alle Zeiten": „jedes Weltreich wird mit dem Herrn der Welt konfrontiert und kann auf die Dauer nicht bestehen, wenn es gegen seine Weltordnung verstößt, die auf das Miteinander der Völker gerichtet ist".[29]

Diese traditionelle – man muß fast sagen – vorkritische Sicht Nahums steht und fällt mit der Frage der Einheitlichkeit der Überlieferung. Diese aber ist zumindest in Kap. 1 grundsätzlich in Frage zu stellen. Doch bleiben die Beobachtungen *Rudolphs* – auf eine andere Ebene transponiert – wertvoll und hilfreich.

(5) *A. S. van der Woude*[30] vertrat die Meinung (1977/78), Nahum sei ein

---

[25] Vgl. die Kritik bei *Renaud*, Composition 200f. Anm. 6: „Il a tendance à sous-évaluer l'authenticité de nombreuses pièces. On n'échappe pas à l'impression que la thèse est fondée sur un *a priori* discutable... En revanche, on retiendra son étude fort riche sur la portée eschatologique du livret." Vgl. auch die Kritik von *Childs* 442.

[26] KAT XIII 3, 143–190.

[27] Schon *Cathcart* hat in seiner Dissertation von 1973: „Nahum in the Light of Northwest Semitic" immenses inschriftliches Material bereitgestellt, um den Text philologisch zu erhellen. Seine Übersetzung und Erklärung bringt in der Tat sehr viele Einsichten im Detail, weniger für ein Gesamtverständnis des Buches.

[28] Ebda. 188.

[29] Ebda. 190.

[30] The Book of Nahum: A Letter Written in Exile: OTS 20 (1977) 108–126. *Ders.*, POT 1978.

Nordreichexulant von 722 v. Chr. und sein „Buch" ein Brief aus dem Exil – „a letter written in exile" – an das ferne Juda. Er stützt sich dabei auf allgemeinere Erwägungen wie das Fehlen einer anklagenden Komponente und die faktische Unmöglichkeit, in der Zeit Manasses mit einer solchen assurfeindlichen Botschaft aufzutreten. Er sieht seine These – die einst *H. Ewald* schon vorgetragen hatte – unterbaut durch die relativ hohe Zahl von akkadischen Lehnwörtern im Text, durch den von ihm als Einheit gefaßten Text 2,1–3 – inbesondere 2,3 spielt eine Rolle, weil der Vers Jakob (= Nordisrael) explizit nennt[31] – und durch dessen Nähe zu Deuterojesaja, durch die mutmaßliche Herkunft Nahums aus Galiläa (nach Hieronymus) und durch die geographischen Markierungen in 1,4. Vor allem aber legt er Wert auf die Wiedergabe der singulären Überschrift in 1,1 mit „Brief" *(sēp̄er)*.[32] Für *van der Woude* ist das Buch Nahum insofern eine literarische Einheit, ein Brief eben, zugleich auch kunstvoll akrostichisch verziert in Kap. 1 und im ganzen durchkomponiert. Kaum mehr als Glossen sind auszuscheiden. Umstellungen sind so gut wie unnötig. Der Brief wurde möglicherweise durch Kaufleute überbracht und verbreitet.

Diese eindrucksvolle Sicht der Dinge basiert auf der Einheit des überlieferten „Buches". Doch diese kann keineswegs als gesichert gelten. Damit verlieren auch die andern Argumente im Sinne der These ihre Evidenz. Doch zwingt diese Auffassung, die Nahum in ein ganz neues Licht stellt, die Probleme neu anzugreifen.

(6) *B. Renaud* hat jüngst (1987) einen sehr ausgewogenen Beitrag zur Komposition des Nahumbuches geleistet.[33] Er sieht im vorliegenden Buch das Endergebnis eines komplexen literarischen Prozesses: „le livre de Nahum rassemble des oracles authentiques qui se transmettaient sans doute dans la tradition à l'état dispersé. L'éditeur exilique (ou plus probablement postexilique) les a réunis dans un corpus beaucoup unifié qu'il n'y paraît... Ce processus de coordination vise moins à évoquer l'événement historique de l'effondrement de la capitale assyrienne qu'à donner à cet événement une signification proprement eschatologique, en en faisant le type de l'intervention décisive à venir..."[34] Die Abgrenzung und Datierung der „Basiseinheiten"[35] ergibt: 1,2–8 ein nachexilischer Hymnus; 1,9 – 2,3 eine aus Nahum-Worten zusammengestellte nachexili-

[31] Ebda. 115ff.
[32] Ebda. 122ff.
[33] La composition du livre de Nahum: ZAW 99 (1987) 198–219.
[34] Ebda. 200.
[35] „unités de base" (200).

sche Komposition; 2,4–11 (+ 2,2; 3,2f) ein Unheils- und 2,12–14 ein Gerichtswort; 3,1.4–7 ein Unheilswort; 3,8–15a ein Drohwort gegen Ninive und 3,15b–17.18 ein Drohwort in Form einer spöttischen Klage. Mit Ausnahme von 1,2–8 und 2,1–3 gehen alle Texte auf Nahum zurück und sind in frühjoschijanischer Zeit, etwa um 630, anzusetzen.
Die redaktionelle Arbeit besteht nach *Renaud* in der Koordination der Einheiten mit dem Ziel, theologische Akzente zu setzen. Durch bestimmte dispositionelle Verfahren (Verschachtelung, Verkoppelung, Verklammerung der Einheiten) erreicht die Edition eine einheitliche theologische Aussage. Den Schlüsselbegriff der Deutung bildet das Wort „Eifer" (hebr. *qin'â* = „jalousie").[36] Es erlaubt, in den einst auf das historische Ninive gemünzten Worten paradigmatische Bedeutung zu erkennen. „En relisant et en réinterprétant ce haut-fait de Dieu, l'éditeur en fera le paradigme du jugement eschatologique."[37]
Renauds fundierter Beitrag geht über die Studien und Auslegungen der 70er Jahre hinaus und faßt deren Ertrag konstruktiv zusammen. Zugleich weist er den Weg, den die Nahum-Auslegung einzuschlagen hat. Es muß zunächst darum gehen, weitere Präzisierungen zu erreichen, sowohl, was die Analyse der „Basiseinheiten", als auch was die Rekonstruktion der Verfahren der „Buchedition" betrifft. Die Frage wird sein, ob die formkritischen Beschreibungen (Drohwort, Unheilswort, Gerichtswort etc.)[38] der Eigenart der Nahum-Dichtungen gerecht zu werden vermögen; ob die Annahme einer punktuellen redaktionell-editorischen Bearbeitung nach dem Schema Tradition – Redaktion den Verhältnissen des Nahum-Buches angemessen ist, und ob der „processus *littéraire* complexe"[39] nicht noch ein wenig genauer erfaßt werden kann. –
Hier ist der Punkt erreicht, an dem die vorliegende Studie einsetzt. Die Titelthese drückt aus, welche Position sie in der Diskussion Heilsprophetie – Kultprophetie – Pseudoprophetie vertreten möchte. Sie geht von den als authentisch anzusehenden Texten Nahums des Elqoschiten aus. Nur auf ihn bezieht sich der Ausdruck ‚profan' im Sinne des vor und außerhalb des Heiligtums *(pro-fanum)* Befindlichen, d. h. außerhalb des kultischen Bereichs. In der Dichtung Nahums wird ein kultischer oder sakra-

---

[36] *Renaud* verweist auf eine frühere Arbeit: Je suis un Dieu jaloux, 1963.
[37] Schlußsatz 219.
[38] *Renaud* gibt u. a. Hinweise zu weiterer Differenzierung.
[39] Ebda. 200.
[40] „l'événement présenté dans sa ‚nudité profane' la plus caractérisée" – *Renaud* im Blick auf 2,4–11, Composition 211; „alle diese Sprüche und Gedichte (tragen) einen stark *säkularen Charakter*", *Kuhl*, Israels Propheten 86.

ler Hintergrund nicht sichtbar. Ja, er scheint bewußt gemieden und ausgeblendet zu sein.[40] Anders zu beurteilen ist das Corpus des Prophetenbuchs und seine Geschichte. Auf das Buch Nahum als ganzes trifft der Titel nur insofern zu, als zu fragen und zu erkunden ist, wie die Tradenten denn mit dem Vermächtnis einer „profanen Prophetie“ umgegangen sind. Eine analoge Frage war schon im Blick auf Zefanjas „satirische Prophetie“ zu stellen.[41] Sie ist wichtig im Blick auf die Rezeptions- und Wirkungsgeschichte zeitgebundener Prophetie, aber auch für die Frage der Überlieferungs- und Auslegungsgeschichte prophetischer Texte überhaupt.

[41] SBS 120 (1985).

II. Das Buch und seine Entstehung

Geht man einmal davon aus, daß das Buch Nahum wie andere Prophetenbücher keine homogene literarische Einheit, vielmehr ein Sammelwerk ist, wird man sich zunächst daran machen müssen, die einzelnen Teilstükke der Überlieferung zu bestimmen, aus ihrem Kontext herauszulösen und in ihrer Eigenständigkeit zu beschreiben.[1] Daß diese Vorgabe durchaus begründet ist, zeigt – wenngleich erst das Resultat volle Evidenz bietet – bereits ein Blick auf die Überschrift des Buches: „Ausspruch: Ninive. Buch von der Schau Nahums, des Elqoschiten" (1,1). Der zweiteilige Titel, dessen erste Angabe offensichtlich die engere ist und sich vor allem auf die mit 2,2.4ff beginnenden Ninive-Gedichte, nicht aber auf den Eingang 1,2ff zu beziehen scheint, dessen zweite, weiter gespannte Angabe mindestens den Komplex ab 1,12, möglicherweise aber schon die hymnische „Schau" von 1,2ff umschließen will, macht in dieser Unausgewogenheit deutlich, daß offenbar verschiedene Vorstellungen vom Umfang des Buches bestanden. Jedenfalls ist es von daher gesehen eher unwahrscheinlich, daß der in einer Überschrift singuläre Ausdruck *sēper* (‚Schriftstück', ‚Urkunde', ‚Buchrolle', ‚Buch')[2] immer schon alle 3 Kapitel und 47 masoretischen Verse unseres an 7. Stelle im Zwölfprophetenbuch stehenden Büchleins umfaßt hat.

1. Bei der *Analyse* der Prophetenbücher empfiehlt es sich, so vorzugehen, daß man zuallererst die Markierungen und Zäsuren vermerkt, welche durch das Vorkommen von Formeln und stereotypen Anfangs- und Schlußformulierungen gesetzt sind. Auf diese Weise zerfällt der Komplex in seine Teilstücke. Nun erkennt man in 1,12 gleich die sogenannte Botenspruchformel: „So spricht JHWH", welche üblicherweise ein prophetisches Gotteswort einleitet, das auch unschwer in 1,12f zu erkennen ist. Mit dieser Formel wird vor 1,12 ein Absatz markiert und der Text 1,2–11 als zusammengehörig deklariert. In der Tat gilt ja auch dieser Textkomplex seit der Entdeckung des vielzitierten württembergischen

---

[1] Diesen Ausgangspunkt wählen, mit unterschiedlicher Akzentsetzung – Spektrum: „Flickwerk" *(Hölscher)* bis „Komposition" *(Schulz, Renaud)* – sämtliche neueren Analysen des Buches.

[2] Die Annahme, das „Buch" sei der „Brief" eines exilierten Nordisraeliten nach Juda/Jerusalem (*van der Woude*, aber schon ähnlich *Ewald*) hängt m. E. an einer zu engen Definition von *sēper* und an einer topographisch unsicheren Entscheidung (vgl. u. III).

Pfarrers *Frohnmeyer*[3], daß ihm ein akrostichisches Schema – Zeilenanfänge nach dem Alef-Bet – zugrundeliegt, als eine mehr oder weniger festgefügte Einheit. Die Frage ist nur, wie weit das alphabetische Schema reicht, und darauf gibt es verschiedene Antworten. Im allgemeinen hält man sich an die Tatsache, daß die Buchstaben *Alef* bis *Ḥet* in 1,2–6 deutlich, die Zeilen *Ṭet* bis *Kaf* in 1,7f leidlich erkennbar, die Zeilen *Mem* und so fort in 1,9f nur undeutlich und nach erheblichen Umstellungen erkennbar sind, und schließt daraus auf die Absicht alphabetischer Anordnung, die aber nur für die Hälfte (*Alef* bis *Kaf*) der Buchstaben realisiert wurde. Immerhin erscheint so 1,2–10 als eine alphabetische Dichtung nach Art einiger Psalmen[4], welche allerdings nicht alle Textteile, etwa in V. 2 und V. 10 – und vor allem in V. 11 nicht –, bindet. V. 11 scheint ja auch mit V. 14 zusammenzugehören, der seinerseits quer zu der in 1,12 beginnenden Gottesspruchheinheit liegt. Die hier wie auch innerhalb von V. 12 zu beobachtende Überdehnung oder Überziehung des zur Verfügung stehenden Textraums – die uns bei der Detailanalyse noch beschäftigen wird – hat offensichtlich zu den schon immer beklagten Textstörungen und -zerstörungen geführt, welche den zweiten Teil des 1. Kapitels schwer beschädigt haben. Fügt man 1,11 und 1,14 einerseits („Belijaal-Wort") und 1,12f mit 2,1 (und 2,3) – wieder mit der typischen Verzahnung – andererseits (Heilswort an Juda) zusammen, erhält man sinnvolle, das heißt in sich klare Texteinheiten, mit welchen man arbeiten kann. Die Trennung beider wird nun zusätzlich unterstützt durch die, auf die vorgängige Gottesrede (1,12f) in 1,14 folgende, neue Einleitung: „Und angewiesen hat gegen dich JHWH", mit welcher nunmehr eine 2. Person masculinum (zuvor femininum) verurteilt (zuvor befreit) wird.

Mit Kap. 2,2 beginnt nach verbreiteter Auffassung das erste Ninive-Gedicht des Propheten, das – nach der Einfügung in 2,3 – von 2,4 bis 2,13 relativ glatt, aber mit Störungen in V. 5f und Zusätzen in V. 12f, in hochpoetischem Stil gefaßt, verläuft. Dieses dramatische Gedicht gilt als ein Meisterwerk der Dichtkunst; und Gleiches wird man von dem ähnlich gestalteten Ninive-Gedicht sagen können, das in 3,8–19 den letzten Teil des Buches füllt, das zwar in V. 13f ebenfalls gestört und in V. 19b erweitert zu sein scheint, dessen Strophenbau und Stilprägung dennoch deutlich zutage tritt.

Schwieriger gestaltet sich die Analyse des Zwischentextes von 2,14 bis 3,7. Doch kommt uns hier wieder das Formelwerk zu Hilfe. Eine

---

[3] Vgl. u. VI Anm. 1.

[4] Vgl. *Watson*, Hebrew Poetry 190ff.

erweiterte Gottesspruchformel: „Spruch JHWHs der Heerscharen" folgt in 2,14 und 3,5 jeweils auf die sogenannte Herausforderungsformel[5]: „Siehe ich will an dich!" und leitet jeweils eine Teilstrophe ein, die beide ganz direkt aufeinander bezogen zu sein scheinen: Ninive als Löwin (2,14) und als Dirne (3,5f), an welche sich jetzt eine prosaische Ergänzung anschließt (3,7). Die beiden Strophen des Ninive-Bildworts umschließen nun im überlieferten Text ein prophetisches Wehewort, beginnend in 3,1. Da prophetische Weheworte im allgemeinen kurz und bündig sind und selten zwei Zeilen überschreiten, ist anzunehmen, daß das Wehewort 3,1 bestenfalls zwei weitere, ähnlich gedrungene Zeilen umfaßt hat, wofür 3,2f oder 3,4 in Frage kommen könnten. Da 3,2 indes mit Aufrufen und Ausrufen neu einsetzt und das Thema wechselt, legt es sich nahe, den zweiten Teil des Wehewortes in 3,4(a) zu suchen, wo ja auch das feminine Subjekt der Stadt wieder dominiert. Was aber ist mit dem zentralen Vers 3,2f? Wie ein Kern von zwei Schalen wird er von dem Wehewort (3,1.4) und dem herausfordernden Bildwort (2,14; 3,5ff) umschlossen! Nach Thema und Stil gehört er zu dem ersten Ninivegedicht (2,2.4ff): dasselbe Szenenmotiv, der gleiche Stakkato-Rhythmus, dazu dieselben „Farben" (in 3,3 und 2,4f). Bildet er den versprengten Schluß des Gedichts nach 2,13?[6] Das ist unwahrscheinlich. Vielmehr bildet er den Anfang und Eingang des dramatischen Szenengedichts und gehört darum vor 2,2! Doch, weshalb ist er jetzt abgetrennt und doppelt isoliert? Gibt es auf diese Frage eine Antwort? Wir versuchen es. Doch zuerst stellen wir die nach unserer Analyse[7] gefundenen Texteinheiten nochmals zusammen:

1,1	Überschrift
1,2–10	akrostichisches Psalmfragment (mit Anhängen)
1,11.14	Belijaal-Urteilsspruch
1,12.13; 2,1.3	Heilswort an Juda
3,2f; 2,2.4–13	Ninive-Gedicht
2,14; 3,5–7	Gerichtswort an Ninive
3,1.4	Weheruf über die „Blutstadt"
3,8–19	Ninive-Gedicht

2. Wir beginnen, die Frage nach dem Sinn der *Anordnung* der Einzelstücke zu beantworten, indem wir zuerst einige Beobachtungen mitteilen.

---

[5] Genannt nach *Humbert*.
[6] So *Renaud*, Composition 205f.
[7] Sie stimmt im wesentlichen mit der Analyse von *Schulz*, Nahum 91ff, und fast ganz mit der *Renauds*, Composition 198ff, überein.

(1) Verteilung

Es fällt auf, daß die Gewichte im Buch sehr ungleich verteilt sind.[8] Das Schwergewicht, das offensichtlich auf den Ninive-Texten liegt – wie es die erste Überschrift ankündigt und vom Textbestand gedeckt wird –, kommt Kap. 2 und Kap. 3 zu. Erst mit 2,2 fällt das Augenmerk auf die Assyrer, und es folgt die Reihe der Ninive-Texte, wobei – jedenfalls nach dem überlieferten Kontext[9] – kein Zweifel daran sein kann, daß auch Gerichts- und Wehewort (2,14ff), wenngleich ohne explizite Namensnennung, an Ninive gerichtet sind. Kap. 1,1ff erscheint, von da aus gesehen, als weit ausgreifende Einleitung, die sich in 1,11.14 dazuhin ganz vom Weg begibt, um den Urteilsspruch über einen einzelnen beizufügen. Dieser lange Anweg bis zum angekündigten Inhalt ist um so auffälliger, als ganz im Unterschied zu vergleichbaren Prophetenbüchern – etwa Micha, Habakuk, Zefanja – die dort am Ende üblichen Anhänge, Weiterungen, Schlußsätze bei Nahum fehlen. Allein der Prosasatz 3,19b mit der abschließenden rhetorischen Frage, welcher die „Kunde" von Ninives Untergang, das ist vor allem natürlich das große Strophengedicht in 3,8–19, kommentiert, öffnet zwar den Schluß des Buches für mögliche Antworten, gibt aber solche nicht wieder. Auch mögliche Folgehinweise finden sich charakteristischerweise nicht nach, vielmehr vor dem Ninivekomplex (1,11 – 2,3). Es ist sicher nicht abwegig, in dieser Schwerpunktsetzung und Stoffverteilung bewußte Redaktionsarbeit zu sehen.
Vielleicht kommt man der Absicht solcher Anordnung näher, wenn man feststellt, daß der Hauptunterschied der Vor-Ninive-Texte zu den Ninive-Texten darin besteht, daß jene ausgesprochen „theologischen" Charakter haben, insofern als sie von Gottes (*'Ēl* 1,2) Theophanie explizit beschreibend im hymnischen Stil handeln, ja geradezu dogmatische Sätze (wie 1,3.7) zitieren oder Gottesworte, als solche eingeführt (in 1,12.14), wiedergeben oder zumindest Gottes Handeln als solches verkündigen (wie 2,3). Demgegenüber finden sich explizite theologische Aussagen dieser Art in dem Ninive-Teil nicht mehr, mit Ausnahme des rahmenden Gerichtswortes 2,14; 3,5–7, das noch einmal Gottessprüche im Ich-Stil, in merkwürdiger Bildverkleidung, präsentiert. Jedoch die großen Gedichte und das Wehewort enthalten nichts dergleichen, wodurch wiederum das JHWH-*ṣᵉba'ôt*-Wort (2,14; 3,5ff) in ein besonderes Licht gerät und scharf vom Kontext absticht.

---

[8] Vgl. *Jeremias*, Kultprophetie 13.
[9] Die Überschrift 1,1a sollte wohl einen Ausgleich schaffen, doch betont sie in ihrer Fernstellung die Unausgeglichenheit.

Wiewohl die Kategorie „theologische“ Rede eine definitionsbedürftige ist, wie der auf der anderen Seite stehende Begriff der „profanen“ Dichtung, kündigt sich hier ein Problem der Nahum-Interpretation an. Es ist sehr wahrscheinlich – wie wir noch deutlicher sehen werden –, daß sich den Tradenten dieses Problem von allem Anfang an gestellt hat und daß die überaus scharfe Kontrastsetzung, sowohl im Binnenraum von 2,14 – 3,7 wie im Außenbezug Kap. 2f zu Kap. 1, darin ihren Grund hat.

(2) Verpackung

Mit diesem merkantilen Begriff versuchen wir ein Phänomen zu beschreiben, das in Prophetenbüchern auftritt und offenbar mit der Endfassung und Kanonaufnahme zu tun hat, nämlich die über die Beschriftung mit Titeln (1,1 jeweils) hinausgehende Befrachtung des überlieferten Textes mit Materialien meist anderer Herkunft und oft psalmischer Art. Für das Amos-Buch ist das in den Doxologien nachgewiesen[10], für Habakuk legt es sich nahe, für Zefanja gilt es im Blick auf das Ende, für Nahum aber im Blick auf den Anfang. Kennzeichen solcher „Verpackung“ ist die oft nicht organische, sehr lose, z. T. destruktive Beziehung dieses Textmaterials zu der hergebrachten Textsubstanz.[11]
Diese Erscheinung gewaltsamen Einbruchs in den überlieferten Bestand bietet Nah 1,9ff in geradezu schmerzlicher Eindringlichkeit. Sie ist – wie in vergleichbaren Prophetenbüchern – nur oder am besten dadurch zu erklären, daß man sehr äußerliche und oberflächliche Textverarbeitungen annimmt, etwa der Art, wie sie – im Anschluß an *B. Duhm* – *E. Sellin* beschreibt: „Es scheint mir viel näherliegend zu sein anzunehmen, daß Nahum von vornherein Juda- und Ninivegedicht nebeneinander in Kurzzeilen auf die Rolle geschrieben und später den leeren Raum über beiden mit den Langzeilen des Psalms ausgefüllt hat. Dabei wurde ihm der Raum knapp, so daß die *s*-Zeile mit der obersten Zeile der Massa schon etwas in Kollision kam, während er die ᶜ-Zeile sogar zwischen die erste und zweite von Massa und Judaspruch schreiben mußte.“[12]
Sellin setzt voraus, daß Nahum selbst beim Aufschreiben in Raumschwierigkeiten geriet und insofern die „Kollision“ in Kap. 1 selbst verschuldet

---

[10] *Horst*, Doxologien.
[11] Zu Zef vgl. meine Studie: Satirische Prophetie, zu Hab meine Auslegung in ZBK (vgl. *H. Schmidt*, Psalm).
[12] KAT 309/313. Ähnlich schon *Arnold*, Composition (Verweis auf Bickell) 235.

hat; daß der Prophet Dichter oder Tradent des alphabetischen Psalms ist, den er hier bis zum Buchstaben *Ajin* verfolgen zu können meint. Insofern erkennt er auf einen punktuellen Redaktionsvorgang mit dem beschriebenen Mißgeschick in der Niederschrift. Man wird *Sellins* Voraussetzungen nicht mehr teilen können, sowohl was die Verfasserschaft wie, was die Redigierung des Buches angeht. Doch man wird anerkennen, daß die Vorstellungen *Sellins* vom Textunfall in Nah 1 immer noch hilfreich sind, wenngleich durch die Qumrantexte Schreib- und Bearbeitungstechniken der Überlieferung heute weit besser bekannt sind als zu *Sellins* Zeiten. Auf der anderen Seite darf man aber das theologische Anliegen nicht verkennen, das hinter solchen Akzentsetzungen und Textverschiebungen steht. Vor allem im Zusammenhang mit dem Gesichtspunkt der Stoffverteilung scheint der „Verpackung" der Nahum-Überlieferung durch die Voranstellung eines gewichtigen Psalms wie beim Buche Habakuk Bedeutung zuzukommen, vor allem, da dieser mit seinem Bekenntnis zu Gott als Richter der Welt eindeutig theologische Linien vorgibt. Das bislang nur unzureichend behandelte Phänomen bedarf weiterer Bearbeitung.[13]

(3) Umrahmung und Verzahnung

An zwei Stellen beobachtet man im Buch Nahum einen Vorgang, der etwa folgendermaßen umschrieben werden kann: Ein Teilvers einer Einheit wird von dieser dadurch abgelöst, daß er von einer zweiten Einheit umrahmt wird, die zugleich auf diese Weise mit der ersten Einheit verzahnt wird. 2,2, ein Teil des ersten großen Ninive-Gedichts, ist von seinem angestammten Kontext durch 2,3 abgetrennt, ein Vers, der seinerseits – wie immer – mit dem voraufgehenden Vers 2,1 zusammengehört. Da dieser seinerseits zu dem in 1,12f beginnenden Judaspruch gehört, dessen erster Teil 1,12f selbst wiederum von dem Belijaal-Wort umrahmt wird, ergibt sich eine doppelte Verzahnung, die etwa so darzustellen ist:

[13] Die Arbeiten von *Schulz, Jeremias* und *Renaud* sind in dieser Beziehung sehr förderlich.

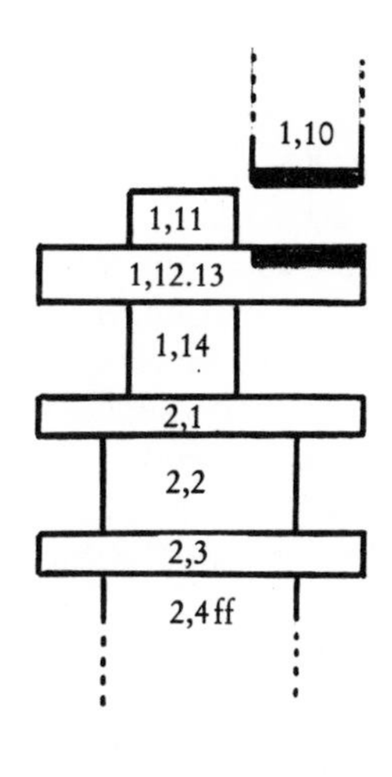

Dazu kommt, daß Teile von 1,12 – wie wir glauben – mit dem Psalmgedicht 1,2ff in Verbindung stehen, wodurch erneut eine Verzahnung sichtbar wird.[14]
Literarisch ist diese Verzahnung nur schlecht verarbeitet. Am schlechtesten in 1,12, ein wenig besser in 1,10ff und 2,1ff, das heißt, die Einheiten sind im ersten Teil gar nicht, im zweiten nur oberflächlich vermittelt oder verbunden. Immerhin suggeriert das Nebeneinander von 2,1 und 2,2, daß an eine Identifikation des „Friedensboten" mit dem „Sprecher" von 2,2ff gedacht ist. Hingegen wirkt 2,3 wie ein, jedoch zu 1,12f; 2,1 gehörender Nachtrag. *Duhms* und *Sellins* Erklärungsmodell der Zwischenzeilenschreibung und Randnotierung legt sich in 1,11.14 wie 2,1.3 nahe. Aus inneren Gründen läßt sich jedenfalls diese Verkettung ungleicher Textglieder nicht hinreichend plausibel machen.[15] Doch sind einer Rekonstruktion Grenzen gesetzt.
Die zweite Stelle solcher „Umrahmung" ist 2,14 – 3,7. Dort verhält es sich aber insofern ein wenig anders, als zwar ein Teilstück des Ninive-Gedichts mit 3,2f abgesprengt und durch eine Doppelrahmung isoliert wurde, daß aber immerhin ein Oberthema angebbar ist, das – wenngleich fast banal im Zusammenhang – das neue Textgebilde zusammenhält. Die Risse aber sind unübersehbar. Der Kern, die Szene von 3,2f mit ihren dramatischen Ansätzen, bleibt mit dem Kontext nur dann verbunden, wenn darin wie in einem Momentbild die Vision des ganzen ersten Gedichts zusammengefaßt geboten wird. Das wird dadurch erreicht, daß nun sehr starkes Gewicht auf die Folgen des angedeuteten Heerzugs gelegt wird, durch unpoetische Klartextbeschreibung des Resultats etwa in 3,3b: „und kein Ende der Leichen; man stolpert über ihre Leichen".[16] Der innere Rahmen des Weheworts soll wohl so etwas wie eine Begründung für den Leichenberg Ninive geben. Das gelingt in 3,4 wohl auf Kosten eines zu vermutenden zweiten Wehes. Jetzt lautet der Ansatz: „wegen der Menge der Hurerei der Hure" und bezieht sich auf die

[14] *Renaud* spricht von „emboîtement", „mots-chrochets" etc. (Composition 200ff; 211ff), glaubt aber an redaktionelle Absichten der Herausgeber.
[15] So auch *Jeremias*, Kultprophetie 13.
[16] Eine Erklärung zu dem lakonischen: „Tote in Massen und Haufen von Leichen" (3,3aγ). Vgl. dazu *van der Woude*, Letter 111 Anm. 19.

weibliche Gestalt der schönen Zauberin. Das erste Wehe nennt zwar kapitale Vergehen der Stadt, bahnt aber keinen Zugang zu der Feldzugszene (3,2). Indes verknüpft das Stichwort „Raub" jetzt äußeren und inneren Rahmen in 2,14 und 3,1, so wie das Motiv „Dirne" 3,4 und 3,5f, so daß ein engerer Zusammenhang entsteht. Doch ist der äußere Rahmenspruch offensichtlich stark kontextabhängig, daß der Verdacht aufkommt, er sei *ad hoc sub voce* Ninive verfaßt, ein Verdacht, der sich auch aus anderen Gründen (Formelhaftigkeit) erhärten läßt. Immerhin zeigt 2,14 – 3,7 den Willen zur Textkomposition, wenn sie auch collageartig vorgeht, aus entliehenen Elementen baut und insofern – im Unterschied zu 1,10ff – bewußt redaktionell erstellt ist. Bemerkenswert ist der recht freie Umgang mit den vorgegebenen Texten.
Man wird beide Rahmungsvorgänge deutlich auseinanderhalten müssen. 2,14ff ist Ergebnis eines Bearbeitungs- und Gestaltungsprozesses, welcher zu einer neuen, wenngleich zusammengesetzten Einheit geführt hat; dies mag auch für die Verbindung 1,12f; 2,1 | 2,2 | 2,3 in etwa gelten. 1,11f ist jedoch die Folge bestimmter Schreibprozesse, welche mehr zwangsläufig oder zufällig zu den überlieferten Textverhältnissen geführt haben. Dieses scheint später als jenes geschehen zu sein.

(4) Vertauschung

Der sich nun anschließende Argumentationsgang mag insofern hypothetisch bleiben, als seine Ausgangsbasis hypothetisch ist. Doch scheint es, als ob manches erklärbar oder wenigstens durchsichtig wird, wenn man ihn versuchsweise beschreitet. Über den Grad der Wahrscheinlichkeit wird man sich keinen Illusionen hingeben können.
Wir gehen davon aus, daß der Passus 3,2.3a ursprünglich zum ersten Ninive-Gedicht gehört hat, und zwar als erste Strophe dieses insgesamt zehn Strophen umfassenden dramatischen Szenengedichts (2,2.4–13). Die Gründe zu dieser Annahme scheinen uns ausreichend, um dies für wahrscheinlich zu halten.[17] Allenfalls könnte man erwägen, ob 3,2f den Schluß des Gedichts gebildet habe (im Anschluß an 2,12f).[18] Doch sprechen einige Punkte eher für die andere Lösung: Die Aufrufe oder Ausrufe in 3,2 lassen an Auftakt denken; die akustisch gefilterte Feindszene bietet die Basis für die zweite akustische Szene auf seiten der Stadt

[17] S. u. III.
[18] Mit *Renaud*, Composition.

(2,2); die in 3,3 angesprochene optisch gestaltete Szene folgt (2,4f); als Schluß würde 3,2 den Abzug der siegreichen Eroberer signalisieren (nach 2,10ff), doch weshalb sollte darauf nach 2,13 noch abgehoben sein? Beim Abzug wäre Eile wohl kaum geboten, wie es 3,2 suggeriert („Peitschenknall", „jagende Rosse").

Auf der anderen Seite setzt 2,2: „Herauf zieht der Zermalmer" die Schilderung des bedrohlich herankommenden „Zermalmers" voraus, denn: „... V. 2, kann unmöglich von jeher der erste v. desselben (sc. Weherufgedichts in Kap. 2) gewesen sein, er weist zurück..." *(Sellin)* – wenngleich wohl ein wenig anders als Sellin dachte.[19]

War nun 3,2f einst Anfang und Kopf des Szenengedichts – weshalb rangiert er nicht mehr in Spitzenstellung? Weshalb ist er so weit von seinem ursprünglichen Platz abgerückt? Weshalb bildet er nun Teil des offenbar den Tradenten besonders wichtigen, weil theologischen Teils 2,14 – 3,7? Dieser aber steht nicht – wie zu erwarten – am Anfang der Ninive-Überlieferung, sondern erscheint als Zwischentext zwischen den Blöcken Kap. 2 und 3!

Es spricht einiges dafür, daß 2,14 – 3,7 tatsächlich einmal der Anfangsteil eines „Ausspruch: Ninive" (1,1a) überschriebenen Überlieferungskomplexes gewesen war, auf den dann das erste Ninive-Gedicht (2,2.4–13) natürlicherweise und das zweite Gedicht (3,8–19) folgten. Wirkungsvoll standen die lauten Appelle: „Siehe, ich will an dich!" – „Wehe!" – „Horch *(qôl)*!" an der Spitze der Ankündigung des Kommenden, das dann im einzelnen szenisch geschildert (Kap. 2) und spöttisch besungen (Kap. 3) wird. Dieser Ninive-Spruch hätte zum Ziel gehabt – wie in den prosaischen Sätzen am Ende der ersten Einheit (3,7) und der letzten Einheit (3,19b) formuliert –, den Fall Ninive als Exempel des Gottesgerichts zu begreifen.

Da die jetzige Reihenfolge der Teile weniger eindrucksvoll und plausibel erscheint und allein auf den Stichwortanschluß „Löwe" und „Raub" begründet ist, stellt sich die Frage, weshalb diese Umstellung vorgenommen wurde. Daß 1,12ff den alten Anfang verdrängt haben könnte, ist ziemlich unwahrscheinlich. Dafür ist 1,12ff doch wohl zu blaß. Auch setzt der Komplex 1,12 – 2,3 schon die Spitzenstellung von 2,2, also die Abtrennung von 3,2f voraus. Wir vermuten den Grund in einer Vertauschung der Kolumnenblätter. Die auf einzelnen Blättern geschriebenen Kolumnen wurden wohl irgendwann aus Gründen der Stichwortverbindung „Löwe" vertauscht und falsch zusammengenäht.

---

[19] *Sellin* KAT 307.

(5) *Umbruch*

Im Anschluß an die Beobachtung von der Vertauschung zweier Blätter und Kolumnen lassen sich nun folgende Erwägungen anstellen. Die Blätter müssen ja dann ungefähr gleichen Umfang gehabt haben. Der Text 2,14 – 3,7 enthält brutto ca. 100 Wörter, 2,2.4–13 ca. 120 Wörter. Je nach Schreibung (Stichen etc.) und Nettoabzug (Glossen u. ä.) könnten sich beide in etwa entsprochen haben. 3,8–19 enthält indes deutlich mehr: brutto 149, netto ca. 100.

Signifikanter aber ist eine andere Rechnung, die von der Kolumnenschreibung ausgeht und nach den Spuren der „Umbrüche", also der Kolumnenübergänge und Randzeilen sucht. Es ist wahrscheinlich, daß eine solche Umbruchschneise in den Bereich vor 1,12 fällt, unter Berücksichtigung der „Verzahnung" zweier Randtextzeilen (in 1,11.14) sogar zwischen 1,10 und 1,11, wäre mit 1,1–10 (110 Wörter), 1,2–10 (104), 1,1–11 (118) mit ca. 110 Wörtern ein Grundwert für eine Kolumne gegeben. Von 1,12 aus ergäbe sich dann ein nächster Einschnitt nach 2,4 (96), 1,11 – 2,4 (104); 2,5–13 (94), 2,14 – 3,7 (100), 3,8–19 (149), 3,8–15 (96). Dabei könnten sich die Umbrüche 2,13; 3,7 schon an die ältere Einteilung anpassen; die letzte Kolumne wäre nur zum Teil gefüllt. Auf der Ebene der Buchüberlieferung würde jedenfalls dadurch vermutungsweise erklärbar, weshalb gerade an den genannten Umbruchstellen im *sēper*-Stadium der Überlieferung besondere textliche Probleme (Zufügungen, Umstellungen) auftreten.

Natürlich sind solche Erwägungen nicht von der Stringenz eines Beweises. Sie sind und bleiben hypothetisch, weil der Gegenstand der Untersuchung, die Textblätter, Buchrollen etc., nicht mehr vorhanden sind. Auch muß man notgedrungen mit dem Modell *eines* Überlieferungsstranges, ja *eines* Exemplars des zum überlieferten Endstand heranwachsenden Textes rechnen. Dies alles zugegeben, ist es dennoch nicht sinnlos, sich Vorstellungen davon zu machen, wie gewisse auffällige Erscheinungen im Textbestand des Buches, also etwa die Turbulenzen von 1,10ff oder die Zäsuren 2,1 | 2,2; 3,7 | 3,8 etwa oder die Verschiebungen in 2,4f; 3,13ff, zustandegekommen sind.[20]

[20] Anlaß zu diesen Erwägungen war eine Beschäftigung mit der Pescher-Rolle aus Qumran (4QpNah), die eine allerdings zeitlich versetzte Anschauung der Überlieferungstechniken bietet.

3. Es scheint mir nunmehr angebracht, das Gesagte zu überblicken und eine *Rekonstruktion* des Werdegangs des Nahum-Buches zu versuchen. Am Anfang stehen die Gedichte, welche die Überlieferung Nahum dem Elqoschiten zuschreibt. Sie befassen sich mit der assyrischen Hauptstadt Ninive und gehören insofern in das 7. Jahrhundert. Zwei Daten engen den Zeitraum ein. Einmal die in das Jahr 663[21] zu datierende Eroberung des oberägyptischen Theben durch die Assyrer unter Assurbanipal, welche in 3,8 erwähnt wird. „Bist du besser als No Amon, das an den Nilläufen liegt?" Da das angesprochene Ereignis noch durch wenige Hinweise abgerufen werden kann, muß es noch frisch im Gedächtnis der Adressaten haften.[22] Da außerdem jene spektakuläre Eroberung mit der Gründung einer neuen Dynastie bereits nach einem Jahrzehnt (655) rückgängig gemacht wurde, ist es wahrscheinlich, daß das Gedicht 3,8–19 etwa in diesem Zeitraum entstanden ist.
Das zweite Datum ist der Untergang Ninives im Jahre 612. Er bestätigt und besiegelt die Weissagungen Nahums. Jedoch ist es nicht sehr wahrscheinlich, daß Nahum die Ereignisse des Zusammenbruchs des Weltreichs nur dargestellt, besungen oder berichtet hat. Vielmehr scheint die eigentliche Bedeutung der Dichtungen darin zu liegen, daß sie weit vorausblickend und weissagend jenen Fall ankündigten, als noch nicht alle Welt die Zeichen der Zeit erkannte. Die ersten auffälligen Krisenzeichen wurden wohl Ende der 50er Jahre sichtbar.[23] Man nimmt aus Gründen der zunehmend schärferen Konturierung an, das Gedicht Kap. 3 sei älter als das von Kap. 2. Demnach wäre das Szenengedicht vom Untergang Ninives 3,2f; 2,2.4–13 etwas später, aber nicht zu spät, d.h. zu nahe an 612 anzusetzen: Etwa die frühen 40er Jahre kommen in Frage, also noch die Zeit des Königs Manasse von Juda-Jerusalem. Gleiches mag für das selbständige Wehewort 3,1.4 gelten. Auch hier sollte man den Terminus ad quem nicht als Entstehungsdatum nehmen.
Gilt für jene Ninive-Dichtungen der Spielraum 663–612, also von gut 50 Jahren (die mutmaßliche Schaffenszeit Nahums grenzt sie jedoch erheblich ein), so ist es nicht sicher, ob dies auch für jenes Gerichtswort gilt, das in 2,14; 3,5ff überliefert ist. Die Echtheitsfrage ist umstritten. Angesichts der konventionellen Rahmenformeln, der Motivabhängigkeit von den Dichtungen, der andersartigen, vergleichsweise lockeren, nur an den

[21] Nach *Donner*, Geschichte II, 299ff; nach *Kitchen*, Third Intermediate Period 394f: 664/3.

[22] So dezidiert schon *Wellhausen* mit Bezug auf *Schrader* (163f). Jetzt *Keller* CAT 102ff.

[23] Vgl. *Spieckermann*, Juda unter Assur z.B. 376.

Parallelismus gebundenen Struktur, sowie der stärkeren Theologisierung sind wir eher geneigt, einen anderen Verfasser als den der Dichtungen anzunehmen. Dabei ist auch für dieses Drohwort eine Zeit noch vor 612 denkbar.

Wenn unsere Annahme richtig ist, wäre für einen ersten Bearbeiter der Gedichte zum Untergang Ninives dieser an Schuld und Sühne orientierte, bildhafte Drohspruch zum Leitwort geworden, mit welchem er seine kleine Sammlung eröffnen konnte. Nehmen wir an, er sei zugleich der Verfasser der Überschrift in 1,1a: „Ausspruch: Ninive", ergäbe sich eine etwa drei Kolumnen umfassende Rolle, welche die Partien 1,1a | 2,14 – 3,7 | 2,2.4–13 | 3,8–19 enthielt.[24]

Es ist wahrscheinlich so, daß die Ziele dieser Schrift nicht nur in der Eingangskomposition aus wichtigen Elementen der überkommenen Dichtungen unter dem Vorzeichen von Schuld und Sühne und vom Gericht JHWH Zebaots, sondern auch in zugefügten Leitgedanken zum Ausdruck kommt, wie etwa der Prosasätze in 3,7 und 3,19a – beide an Eckstellen der Überlieferung. Hinzu kommen ergänzende und erklärende Zusätze etwa in 3,1.4b; 2,12b; 3,10b.11b.15 u. a., welche noch im Detail zu untersuchen sind. Insgesamt zeichnet sich das Bild einer „Flug-" und „Denkschrift" ab, verfaßt anläßlich der Ereignisse um 612, zugleich als Dokumentation weissagender Prophetie,[25] wobei der Herausgeber möglicherweise die Anonymität seiner Texte wahren wollte.[26] Die Frage, ob die Schrift mit Orakeln über Ninive die politischen Ziele des Königs Joschija unterstützen wollte, kann – soweit ich sehe – nicht zureichend sicher beantwortet werden.

Die Schrift erfuhr einen „Umbruch"; der Anfangsteil geriet vermutlich durch einen Irrtum zur mittleren Kolumne. Mit abgebrochenem Kopf

---

[24] Man kann natürlich nicht ganz ausschließen, daß „Ausspruch Ninive" zuerst eine Teilüberschrift z. B. für 3,2; 2,2ff oder 3,8ff war, die dann nachträglich für das Ganze der Ninive-Sammlung gesetzt wurde. Da sie enger greift als die Überschrift: „Buch der Schauung...", ist anzunehmen, daß sie die ältere ist. Doch eine präzise Zuordnung der Überschriften zur Redaktionsgeschichte der Überlieferungsblöcke gelingt nicht zweifelsfrei.

[25] Unter dem Anm. 24 gemachten Vorbehalt könnte auch V. 1b Titel dieser Schrift gewesen sein: „Buch der Schauung Nahums des Elqoschiten". Dafür könnte sprechen, daß gut 40 Jahre nach Abfassung der Einzelgedichte der Name des Sehers und Dichters noch bekannt war, was nach über 100 Jahren an Wahrscheinlichkeit verliert.

[26] Vgl. *Rudolph* KAT, der an eine den Zeitläuften angepaßte, nichtöffentliche Tätigkeit des Propheten denkt: das Nahumbuch als geheime „Flugschrift", 150; 187ff.

begann die Schrift mit 2,2. Sei es nun, daß dies die Ursache (oder umgekehrt die Folge) einer Erweiterung der Schrift war, so wurde der neue Eingangsteil – durch Verzahnung mit dem Spitzenvers 2,2, bzw. durch Überschreibung der Eingangskolumne – durch ein Heilswort an Juda gestaltet (1,12f; 2,1.3). Da dieses Heilswort das Ende der Unterjochung und die Wiederherstellung Judas, ja auch Jakobs – wie 2,3 hinzufügt – jetzt und für immer ankündigt, könnte man an die joschijanische Zeit denken und ihre (allerdings uneingelösten) Hoffnungen. Indes steht dem doch wohl das „nicht mehr" von 1,12 und 2,1 im Wege,[27] welches spätestens ab 605 mit dem Aufkommen der Neubabylonier widerlegt wäre. Viel eher wäre an das Ende der Exilszeit zu denken, in der ein prophetischer Verfasser im Sinne und Anklang an Deuterojesaja dieses hoffnungsvolle Wort formuliert hat. Für den exilischen Herausgeber galt dies jedoch als ein ganz im Sinne von Nahum gesprochenes Wort, dem er in seiner Dokumentation beide Titel: „Ausspruch Ninive" und „Buch der Vision Nahums, des Elqoschiten" (1,1b) voranstellte. Es war ein „Buch", das die Verkündigung und Überlieferung eines, nunmehr historisierend mit Namen und Heimatort notierten und mit dem „Friedensboten" (2,1) gleichgesetzten, Sehers aus dem vergangenen Jahrhundert aufbewahren und präsentieren wollte. Erfahrungsgemäß gehört diese Nahum-Dokumentation wie etwa die Dokumentationen des Jeremia-, Jesaja-, Zefanja-Buches etc. in die zweite Hälfte der Exilszeit, etwa ab 550.[28]

Herkunft und Datum des alphabetischen Halbgedichts in 1,2ff kann nicht eindeutig bestimmt werden. Im Zuge der Psalmendatierung jedoch wird man an vorexilische Entstehung nicht denken können, weshalb die Abfassung durch Nahum so gut wie sicher entfällt. Eher wird man mit einem (spät-) nachexilischen Datum rechnen, wenngleich Theophanie-Texte – aber dann ohne alphabetisches Korsett – auch älter sein können. Der Psalm ist so oder so ein Fragment und entspricht auf solche Weise seiner Funktion als Verpackungsmaterial für die Letztfassung des Prophetenbuches.

Weil der Psalmtext von 1,2–6 (' bis *ḥ*) noch relativ gut erhalten ist und mit erkennbarer Struktur vorliegt, wird man diesem kompakten Teilstück eine relative Eigenständigkeit zumessen können. Es entstammt wohl einem etwa Ps 33 oder 145 ähnlichen Hymnus. Alles Weitere aber, was

[27] Das doppelte *ʿôd* betont die Endgültigkeit.

[28] Dies müßte natürlich im einzelnen belegt werden, was hier zu weit führen würde. Als erster Anhaltspunkt mag die offensichtliche dtr. Bearbeitung etwa der „Bücher" Jeremia, Amos, Micha, Zefanja dienen. Zu verweisen ist auf die redaktionsgeschichtlichen Spezialstudien zu den Prophetenbüchern.

nach 1,6 folgt, macht den Eindruck sekundärer Entstehung bzw. sukzessiver Auffüllung. Vor allem die Verse 1,7–10 bieten disparate Fragmente in diffuser Anordnung. Zwar mag es gelingen, einige heile Zeilen (ab ṭ) zu rekonstruieren, die Elemente eines Vertrauenspsalms zu ergeben scheinen; auch kann durch Umstellungen ein Teil des Geröllhaufens abgebaut und die Umrisse vermuteter Textpläne angedeutet werden. Aber nicht mehr alle Brocken sind sinnvoll zu restaurieren. Die Spuren schwerer Beschädigung des Textes sind gegen Ende der ersten Kolumne, zwischen V. 9 und V. 11, und in V. 12 unübersehbar.[29]
Einzig 1,11.14 lassen sich im Puzzle zusammenfügen. Heraus kommt ein leidlich einheitliches und einsichtiges Textfragment, das wir vorläufig als „Belijaal-Urteil“ bezeichnen, ohne über die Herkunft zunächst mehr sagen zu können, als daß es als „Lückenbüßer“ zwischen den Zeilen rangiert, was auf eine ursprüngliche Randnotiz schließen läßt.
Die Letztherausgeber übernehmen die tradierte Überschrift. Sie nehmen in Kauf, daß sie in beiden Teilen dem neugebildeten Eingangskapitel nicht mehr entsprechen. Ob sie sich über die Pseudonymität der Angaben (zu Kap. 1) Gedanken gemacht haben, steht dahin. Ihnen lag wohl mehr an der theologischen Orthodoxie der Nahum-Schrift, und diese hat durch den in dieser Hinsicht ergiebigen und einschlägigen Psalm ein tragfähiges Fundament erhalten. Die hier angelegten Linien strukturieren nun alles Folgende. Das Vorwort stellt das ganze Buch in das rechte Licht.
Wir setzen diese Schlußredaktion schätzungsweise im 5./4. Jahrhundert an.

4. Die chronologische *Reihenfolge* der Nahum-Texte

3,8–19a	~ 660
3,2f; 2,2.4–13	~ 650
3,1.4a	~ 650
2,14; 3,5ff	~ 615
1,12f; 2,1.3	~ 550
1,11.14	~ 400
1,2ff	~ 400

läßt erkennen, daß das Buch – im Unterschied zu anderen Prophetenbüchern – sozusagen von hinten nach vorne gewachsen ist. Die ältesten Teile

[29] Zum Versuch einer Aufräumung und Wiederherstellung vgl. meinen Beitrag: Vormasoretische Randnotizen in Nahum 1.
[30] Zur Zuordnung s. o. Anm. 24, 25.

stehen im letzten, die jüngsten im ersten Teil. Das wird wohl noch deutlicher, wenn man sich die Redaktionsprozesse einmal mehr im *Überblick* vergegenwärtigt:

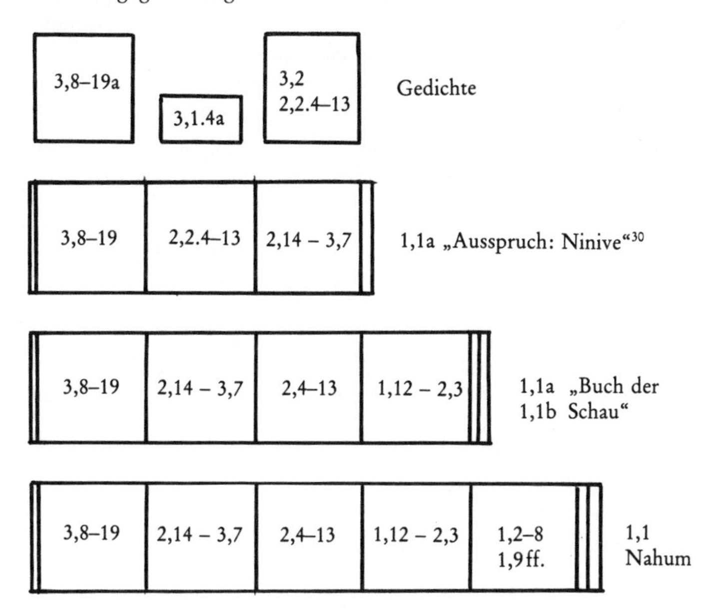

Dieser Vorgang der Voranstellung[31] neuer Überlieferungen vor den bereits vorhandenen Bestand ist offensichtlich zweimal so verlaufen, daß der Spitzensatz des bestehenden Korpus (3,2; 2,2) herausgegriffen und zum Kernsatz einer neuen Komposition gemacht wurde, wobei jene Verzahnung der Texteinheiten entstand, welche die Redaktion offenbar für notwenig erachtete. Der letzte Akt (1,2ff) war der massivste hinsichtlich der Akzentsetzung und Präsentation des Buches, indem ein Vorwort hinzugefügt wurde. Dieser Vorgang der immer neuen Vorschaltung richtungweisender Texte, der nur unwesentlich modifiziert erschiene, falls die Annahme einer Kolumnenvertauschung nicht zutreffen sollte, gegenüber dem auch der natürliche Weiterungsprozeß durch Zusätze und Glossen nicht erheblich, wiewohl gegenläufig ist, hat selbstredend seine Ursachen. Sie liegen in der Absicht, den Leser oder Hörer mit den Dichtungen Nahums nicht unvorbereitet zu konfrontieren, sondern ihn darauf einzu-

[31] Dies gilt übrigens auch für die anzunehmende Versetzung der Überschrift von 2,14 zu 1,12 zu 1,1.

stimmen, ja so zu beeinflussen, daß ihm jene Texte als im großen ganzen des Jahweglaubens durchaus verständlich und passend erscheinen. Darin liegt der Zweck solcher Vorworte und vorausgeschickter Verständnishilfen, dem Vorurteil Vorschub zu leisten, es handle sich bei Nahums Werken um rechtgläubige Äußerungen eines Sehers und Propheten, im Sinne der Tradition würdig und angemessen. Doch der Vorgang deckt auch ein Problem auf. Die Sorge um das Verständnis offenbart Schwierigkeiten im Umgang mit den Texten, bei denen man zu Recht befürchtet, daß sie als profane Dichtungen aufgefaßt werden könnten: denn es waren – in einem gewissen Sinne – profane Dichtungen.

III. Nahums Texte

1. Das große *Gedicht* in Kap. 3 beginnt mit V. 8 und endet mit V. 19a. Ein Übergangsvers V. 7 schlägt die Brücke zum Vorangehenden: „Und es wird geschehen, daß jeder, der dich sieht, sich entsetzt vor dir und spricht: ‚Verwüstet ist Ninive! Wer beklagt es? Wo soll ich Tröster suchen für dich[1]?'" Er gehört wohl auch zum vorangehenden Gerichtswort 2,14; 3,5f, bzw. zu dem damit umschlossenen Komplex. Er setzt den Untergang Ninives schon voraus und denkt schon weiter und darüber hinaus an die Wirkung dieses Falles auf die zuschauende Völkergemeinschaft. Doch so weit ist 3,8 noch nicht. Da kann Ninive noch Adressat einer Frage sein: „Bist du besser als No Amon?" Sein Geschick hat sich noch nicht erfüllt; doch zeichnet es sich ab. 3,8 setzt sozusagen weiter zurück noch einmal ein, um vorzuführen, was der Prosavers 7 schon hinter sich läßt. Mit 3,8 beginnt die neue poetische Einheit.

Ein mit V. 7 gleichsinniger Prosavers setzt in V. 19b auch den Schlußpunkt: „Die die Kunde hören, klatschen darum alle in die Hände. Denn über wen ist dein[2] Unheil nicht ständig hinweggegangen?" Diesmal sind es die Zuhörer, welche auf die Botschaft vom Untergang des Königs von Assur[3] reagieren. Am Ende ist man also wieder am Punkt von 3,7 angelangt. Ninives Schicksal scheint ein fait accompli zu sein. Schon verbreitet sich die „Kunde" von dem weltbewegenden Ereignis. 3,19b sucht bereits – in Distanz zum Ereignis selbst – Triumphgefühl und Schadenfreude zu erklären und zu rechtfertigen, die – wie in V. 7 die Unfähigkeit zur Trauer um die Weltstadt – alle Welt offenbar empfand. Der Prosarahmen blickt auf die Ankündigung des Untergangs, ja wohl auf das Geschehen selbst zurück. Er spricht aus einer veränderten Situation – *post datum* 612. Das Gedicht selbst ist viel älter.

Daß der Text 3,8–19a poetisch geprägt ist, ist unbestritten. Doch ist seine poetische Struktur erst aufzuspüren. Sucht man in einem ersten Schritt die offensichtlich prosaischen Zusatzelemente auszuscheiden, welche generell die prophetische Überlieferung des Alten Testaments bedecken, hat man es mit den folgenden Stellen zu tun:

---

[1] Die Anrede kommt überraschend und scheint von V. 8ff her beeinflußt. LXX liest 3.P.fem.

[2] Subjektiver Genitiv.

[3] MT, ursprünglich wohl 2.P.fem.

V. 8 – Es fragt sich, ob die Beifügung: „das an den Nilarmen[4] thront“ (8aβ) nicht ein erklärender Zusatz ist, welcher die Stadt No Amon für den Nichtwissenden (fälschlich)[5] im Nildelta lokalisieren und mit Alexandria identifizieren will.[6] Doch lag das oberägyptische Theben auch an den „Nilarmen“ und war in gewissem Sinn von „Wasser ringsherum“ umgeben (8aγ).[7] Dieser zitierte letzte Passus fällt durch seinen deutlich kommentierenden Charakter wie durch das nachfolgende prosaische Relativum *'šr* auf und fällt insofern wohl aus dem poetischen Gefüge heraus, wie es die unten zu erörternde rhythmische Struktur nahelegt.

V. 10 – Das zweite *gam* „auch, ebenso“ und das füllende *kol* „alle“ kontrastieren zu dem konzisen Kontextstil und machen deutlich, daß der Passus über den Kindermord an allen Straßenecken möglicherweise ein von anderswo entlehnter Topos ist, dem die Versprägung des Gedichts abgeht.[8]

V. 11b ist ein, zwar V. 11a nachgebauter, dennoch nicht poetisch gebundener Satz, welcher den Versen 12ff vorausgreift und ebenfalls als Klarstellung des offenbar dunklen V. 11a angesehen werden muß. Ähnlich ist auch

V. 13 (bis V. 13aβ), durch das erläuternde *hinnê* „siehe“ eingeleitet, wahrscheinlich als Erklärung für die fast unglaubliche Unfähigkeit zu ernsthaftem Widerstand anzusehen: „Siehe (dein Volk)[9] – Weiber sind sie, in deiner Mitte [ergeben sie sich] deinen Feinden.“ Dafür scheint auch das rhythmische Gefüge zu sprechen.

V. 14aβ: „stärke deine Bollwerke“ – von den (hebräisch gleichlautenden) „Burgen“ war schon V. 12 in anderem Sinne die Rede. Hier faßt der Passus die in V. 14 befohlenen Tätigkeiten zusammen und erweist sich insofern als überflüssig.[10]

---

[4] Wörtlich: „Nile“(pl.).

[5] So Tg, Vg, nicht aber die ägyptische LXX, s. u. VIII.2.

[6] Das käme einem späten Anachronismus gleich.

[7] Gemeint sind wohl die verschiedenen Nilläufe und -arme. Der Ausdruck „Meer“ macht im oberägyptischen Umkreis etwas Mühe. Doch vgl. die analoge Verwendung für den Nil Jes 19,5; Ez 32,2 (pl.), dazu Jes 18,1. Er bezieht sich aber wohl auf die Nilüberschwemmung, vgl. *Schneider*, Theben.

[8] Vgl. u. IV. Dazu u. a. Jes 13,16; Hos 14,1.

[9] Das hier überflüssige *ʿmk* „dein Volk“ könnte das in V. 12a vermißte und als *ʿm* „mit“ punktierte zweite Subjekt sein, was dem Gleichnis erst seinen ganzen Sinn verleiht.

[10] Vermutlich ist *māṣôr* in V. 14a („Wasser der Belagerung“) eine Korrektur *ad sensum* und verdeckt ein ursprüngliches *ṣîr* ‚Türzapfen(loch)‘, das zu „Riegel“ gehört und die Zeile V. 13b metrisch füllt. Ist „Zederntore“ *(ʾrz)* statt „Landtore“ *(ʾrṣ)* zu lesen? Eine Umstellung scheint stattgefunden zu haben.

V. 15 besteht im ganzen aus kontextentlehnten Brocken, welche doch wohl zum folgenden Teil mit seinem Heuschreckengleichnis lenken sollen. V. 15b besteht seinerseits aus Variationen (oder Varianten) zu V. 16. Die ungeordnete und sinnstörende Passage zeigt indes klar eine Sinnlücke an, welche durch den Strophensprung verursacht wird. Neue Aussagen bietet sie nicht.

V. 16 – Verdächtig ist der Bildvergleich mit den Sternen, der als Topos den Kontext stört, und das erzählende „und flog davon", das nur Sinn hätte, wenn hier ein Sprichwort: „Der Hüpfer häutet sich (schwärmt)[11] und fliegt davon" eingebaut wäre, was aber grundsätzlich als unwahrscheinlich gelten muß.

V. 18 – „König von Assur" ist (zusammen mit dem folgenden, verschriebenen *jšknw*)[12] sicher später eingefügt worden, weil diese neue Adressierung die Anredestruktur von V. 18 an (2. Person masculinum) zerstört. Bisher war „die Stadt" angesprochen, auch noch in V. 16f (MT). Die vermeintliche Präzisierung der dichterischen Aussage spricht gegen die Ursprünglichkeit. Gleiches ist auch zu Ergänzungen in V. 19a zu sagen („auf den Bergen", „für deinen Schaden"), gegen die auch die knappe und konzise Diktion steht.

Nimmt man diese prosaischen Teilstücke heraus, ergibt sich ein Textgefüge, das deutlich durch Zäsuren nach V. 10 und V. 14 in drei ungefähr gleichgroße Teile gegliedert wird. Nach der Anordnung in BHS sind für Teil I 7, für Teil II 7½ (?) und für Teil III 7 Zeilen erkennbar. Die auch sonst in Nahums Gedichten sichtbare strenge Form erlaubt es, ein dreistrophiges Gedicht, jede Strophe mit sieben Parallelzeilen, anzunehmen, das durch Kürzungen im redundanten V. 10 und kleine Umstellungen in V. 14 unschwer rekonstruiert werden kann.

I
- „Bist du besser als No (Amon), | Stadt, die an Nilen thront?
- Ihr Wall war das Meer, | aus Wasser die Mauer.
- Kusch ihre Stärke, | und das grenzlose Ägypten.
- Put und die Libyer | waren die Stütze.
- Trotzdem Verbannung, | ging's in Gefangenschaft.
- Über die Edlen das Los geworfen, | all ihre Großen in Ketten geschlagen.

II
- Auch du wirst trunken, | wirst bald entjungfert.
- Alle Bollwerke Fruchtbäume, | deine Mannschaft wie Frühfeigen.
- Man schüttelt, sie fallen | gleich in den Mund.
- Weit offen, geöffnet | deine Türzapfen und Riegel (?).

---

[11] *pšṭ* eig. ‚ausziehen', ‚die Haut abstreifen', ‚sich häuten', vgl. HAL 921.
[12] „sie wohnen" *(jšknw),* wohl aus „sie schliefen" *(jšnw)* entstanden.

– Feuer frißt | die Zederntore.
– Wasser schöpfe, | stampfe den Lehm.
– Tritt fest die Erde, | verschale den Ziegel.

III – Vermehrt die Händler, | wie Graslarven, die schwärmen.
– Wächter wie Heuhüpfer, | Schreiber wie Heuschrecken.
– Sie lagern auf Mauern | am kalten Tag.
– Strahlt die Sonne, | fliehn sie weiß wohin.
– Ach, schliefen die Hirten, | schlummerten die Edlen?
– Dein Volk hüpft herum, | und keiner sammelt.
– Keine Heilung, | tödlich der Schlag!“

Das metrische Grundmaß dieser Zeilen, die durchweg vom Parallelismus membrorum geprägt sind, scheint mir am ehesten an den Eingangszeilen erkennbar zu sein.

			Konsonanten
V. 9a	*kûš* ^{c}*ôṣmāh*	| */û/miṣraim /w*^{e} */ 'ên qeṣê*	7+13(11)
	● ○ ●	| /○/ ○←● /○/ ○ ●○	
		2:2	
V. 9b	*pût w*^{e} *lûbîm*	| *hājû b*^{e} ^{c}*ezrāt/ek/āh*	9+9
	● /○/○ ●	| ●→○ /○/○ ● ○	
		2:2	
V. 8b	*ḥêlāh jām*	| *majm ḥômātāh*	6+8
	●○ ●	| ● ○ ●○	
		2:2	
V. 11	*gam 'att tišk*^{e}*rî*	| *t*^{e}*hî na*^{ca}*lâmâ*	9+8
	○ ● ○ ●	| /○/● ○ ●→○	
		2:2	
V. 8a	*h*^{a}*têṭ*^{e}*bî*	| *min No' 'Āmôn*	6+7
	●→○/○/●	| ○ ● ○←●	
		2:2	

Es handelt sich um je zwei Zweier, welche so akzentuiert zu sein scheinen, daß meist der Ton auf die erste Silbe fällt, daß an der Mittellinie zwei Tonsilben hart gegeneinander stehen (Pause und Neueinsatz), daß die zweite Vershälfte oft symmetrisch konstruiert ist, was sich aus dem Doppelzweier ohnehin nahelegt. Das Schema läßt sich mit einigen Abstrichen bei fast allen der angenommenen 21 Verse entdecken. Dieser auftaktlose Doppelzweier ist seinem Charakter nach knapp, hart und hämmernd, erweckt Assoziationen an Stampfen (vergleiche V. 14) und Marschieren,

an Befehlston und Schlag- (Stich-)Wort, staccato und martellato wären die entsprechenden musikalischen Termini.
Diese gehämmerten Rhythmen werden nun in kunstvollen Tonsequenzen und Klangfiguren intoniert. Selbst in der verschliffenen und eingeebneten Wiedergabe der Masoreten hört man noch Verse von scharfer Kontur und farbiger Brillanz, voller Klang und Rhythmik. Kaum ein Vers läßt, wie die nachstehende Liste belegt, kunstvolle Fertigung vermissen – und das bei dem bekannt schlechten Instrumentarium, das wir zur Feststellung von Kunstformen bisher nur besitzen:[13]

8a: Kontrast *e/i* (hell), *t/ṭ/b* (Explosive) zu *o/a/o* (dunkel), *m/n* (Sonore), Silbenspiel *minno'*←| |→*'āmôn*.
8b: Alliteration *ḥ*, Symmetrie des Klangs *ḥ-jm*←| |→*mjm ḥ-*.
9a: *s/š/ṣ* Dominanz; *kš*~*qṣ* Silbenentsprechung.
9b: *û* Bindung an 9a *(kûš ᶜoṣmāh, pûṭ lûbîm)*, *u* Dominanz, Alliteration *p/b*.
10aα: *h* Alliteration, Silbensymmetrie *lh*| |*hl*, Anklang *lg/lk*.
10aβ: *o/u* Dominanz, Wortreim: *(j)rṭšw – br'š* (?) (sogar im Zusatz).
10b: Reim *jrṭšw* (10aβ) – *rtqw* (?); *q*-Alliteration *jwrw gwrl* (nach 4QpNah).
11: Klangspiel: *naᶜᵃlāmâ* mit *No' 'Āmôn*, *g/k*, *t*, *'/ᶜ*-Alliteration.
12a: drei Mal *-îm*.
12b: *n*, *'ᶜ*-Alliteration, Silbenspiel *pl-ᶜl-kl*.
13aβ: Paronomasie *ptḥ*, Silbenspiel *ᶜr-'r*, *šᶜr-'rṣ*.
13b: *'*, *(r)*-Alliteration (bei Konjektur).
14b: *b*-Alliteration, *i*-Dominanz, *si*-Reim, Silbenspiel *rm*| |*mr*.
16a: Silbensymmetrie: *rkljk* | | *(k)jlk*
17a: Reimbildung *-zāraik* / *-sᵉraik*, einsilbiger Nachschlag *k'arb* ~ *kᵉgôb*.
17bα: *b*-Alliteration, *gdr*~*qr*.
17bβ: *š*/*z*-Alliteration, Reimklang: *nōdad wᵉlo' nôdaᶜ*.
18a: *m*-Dominanz, Reim *-aik*.
18b: Silbenspiel: *mk-mq*, *pš-bṣ*.
19a: *e/a* Klang, *h*-Längung (4mal; 1mal *ḥ*) > Klageton *'êkâ*.

Was wird mit solchen Klängen zum Ausdruck gebracht? Weshalb wählt der Dichter diese Technik?

[13] Vgl. jetzt *Watson*, Poetry.

Für die Interpretation des Gedichts ist es vor allem grundlegend wichtig, festzustellen, wer mit der 2. Person femininum gemeint ist, an die sich – sieht man einmal von dem Schluß der 3. Strophe ab[14] – diese Zeilen richten. Für die Tradition des Buches ist dies keine Frage. Die Rahmenverse 3,7.19b erkennen und nennen Ninive mit Namen, wobei wohl durch den Einfluß der Glosse „König von Assur" in 3,18 der Schluß der Strophe wie des Kapitels maskulinisch überfremdet wurde. Jedoch bleibt auch für diese Übermalung die Weltmacht Assur in Gestalt ihrer derzeitigen Hauptstadt oder später ihres Königs Adressat dieses Gedichts. Der Vorschlag, Jerusalem als ursprünglich vom Propheten intendierten Adressaten anzunehmen,[15] hätte manches für sich, etwa daß dann Nahum nicht der Gruppe der sogenannten Heilspropheten zuzurechnen, sondern zu den Unheilspropheten zu stellen wäre, scheitert aber an den Gegebenheiten des Textes. Ein Vergleich Jerusalems mit der Weltstadt Theben, der auch noch besonders auf die durch die Lage an den Nilarmen und -kanälen gegebenen Befestigungsanlagen abhebt, wäre grotesk. Hingegen ist der Vergleich sinnvoll, wenn die andere Weltstadt mit ähnlicher Lage am Tigris und seinem Nebenfluß Choser das Pendant bildet. Wenn die drei Strophen – wie vorgeschlagen – zusammegehören, sprechen einige Aussagen eindeutig gegen Jerusalem. In der Regel wurden die Wälle und Mauern in Jerusalem aus Steinen, nicht aus getrockneten Ziegeln hergestellt. Die Aufforderung, solches zu tun (V. 14), wäre unsinnig, paßt aber für das steinarme Zweistromland. Die mit assyrischen Beamtentiteln belegten „Schwärme" von Funktionären, welche nach V. 16ff den Untergang des Reiches auch nicht aufhalten können, so wenig wie die „Hirten" und „Edlen", welche die Zeitläufte verschlafen haben, können wohl schlecht der jüdäisch-jerusalemischen Verwaltung oder Wirtschaft angehören in einer Zeit, da es doch wohl nicht in der Hand des Vasallen Manasse lag, solches zu planen oder zu verfügen. Besser paßt die Aussage zu dem Treiben einer Besatzungsmacht in unterworfenen, besetzten, annektierten, integrierten Gebieten zwecks Stabilisierung der Herrschaft, wobei die Bezeichnungen assyrische Beamte meinen. Ein Vorwurf, der Jerusalemer Hof kooperiere allzu eng mit den Assyrern, wäre angesichts der überall und gerade in der Provinz Samaria und eben am Exempel No Amon sichtbaren Konsequenzen bei Widerstand und Abfall unter den Machtverhältnissen Ende der 60er Jahre ziemlich abwegig. Grundsätzlich müßte man direkte Invektiven gegen Jerusalem erwarten – wie etwa die

---

[14] Ab V. 18 ist nach MT der Adressat „der König von Assur" (2.P.m.).
[15] Vgl. *Jeremias*, Kultprophetie, o. I.

einige Jahrzehnte früheren eines Micha oder die einige Jahrzehnte späteren eines Habakuk und nicht nur gleichnishafte Rede –, wenn das Gedicht nicht ein ganz anderes Thema hätte: Ninive.
Ninive (hebr. *Nînᵉwê* < *Nînûā* = akk. *Ninua*) ist das geheime Thema des Gedichts. Ninive ist allgegenwärtig – wie es politisch allgegenwärtig war Mitte des 7. Jahrhunderts. Es scheint mir erwägenswert zu sein, ob nicht das rhythmische Grundelement (Verstakt) des Gedichts dem Namen Ninive abgewonnen wurde. „Nínuá" (●○●) wäre ein Zweier, bei fehlendem Auftakt, wie er die Kola der Verse weithin bestimmt. Wäre das richtig, dann hätte der Hörer (oder Leser) aus jeder Zeile zweimal den „Ruf" Ni-ni-ve, Ni-ni-ve, bzw. Ni-nu-a, Ni-nu-a heraushören können. Insofern hat die Annahme *C. A. Kellers* einiges für sich, der Prophet „imite le style des chansons que les soldats entonnent pour dénigrer l'adversaire".[16] Man würde von daher den Marschrhythmus begreifen können, der dem Gedicht so etwas wie einen Bänkelsang-Charakter gibt. Die aufs Weibliche reduzierte Perspektive, die durchgehende Anrede an eine 2. Person femininum, wäre so begreiflich wie der aufs Grobe und Derbe eingeengte Aspekt. Dazu wäre der Anfang der 2. Strophe 3,11 durchaus im wörtlichen, das heißt im burschikosen Sinne („besoffen" und „entjungfert" [?])[17] passend. Schließlich erinnert die Bildauswahl an den Themenkreis von „Landsknechtliedern", wenn auch direkte Vergleichsmöglichkeiten nicht gegeben sind.
Dennoch wird man daran festhalten müssen, daß es sich um Nachahmungen mutmaßlicher Soldatenlieder handelt, also um prophetische Dichtung, welche im Gewand dieser Form auftritt, indessen aber auch mehr erreichen will, als den „Gegner anzuschwärzen". Die Verkleidung dient wohl nicht zuletzt auch der Sicherheit des Dichters. Denn niemand, dem das Leben lieb war, hätte in der assyrischen Blütezeit der 60er oder 50er Jahre solche subversive Themen öffentlich behandeln können. Dazu gab es denn doch zu viele „Insekten" auch in Juda. Im Munde der Soldateska, von unbekannter Herkunft, beim echten Volkslied, war manches möglich. Es scheint, als ob der Verfasser bewußt das schützende Landsknechtwams gewählt und sich damit verkleidet hat.
Dies führt zu der Frage nach dem Sinn dieses Liedes weiter. Fragt man zunächst nach dem Grundgedanken, der Idee, welche der Dichtung zugrunde liegt, wird man an den Textplan der drei Strophen gewiesen. Ihr

---

[16] 132.
[17] *nᶜlmh* von *ᶜlm* III, bzw. *ᶜlm(h)* abgeleitet, mit sexueller Bedeutung. *ᶜlm* I und II geben keinen überzeugenden Sinn.

gegenseitiges Verhältnis legt das Gefälle offen, das den Gedankenverlauf lenkt. Die erste Strophe verweist auf vergangenes Geschehen. Das Schicksal Nos, der oberägyptischen Nilresidenz (äg. *nw.t*), „die Stadt“ schlechthin, wird zum Paradigma einer untergehenden Großstadt und so Voranzeige des zukünftigen Schicksals der assyrischen Welthauptstadt am oberen Tigris, wie es die zweite Strophe ankündigt. Beide, die vergangenheits- und die zukunftsbezogene Strophe, sprechen von der „Stadt“ als Kollektivgröße; die dritte Strophe spricht von den Menschenmassen, welche aus Ninive hervorquellen und die ganze Welt bedecken (Heuschrecken-Vergleich) und der Wirkung, welche jene ferne Katastrophe am Tigris auf das Regime und das heißt auf die Provinzen und Vasallenstaaten haben wird. In dieser Strophe wird die Veränderung geschildert, die sich im erfahrbaren und überschaubaren Umfeld aus dem Untergang des assyrischen Machtzentrums einleitet. Das System kippt. Die Ordnungsträger verschwinden in wilder Flucht. So endet das Gedicht mit der Erinnerung an die Gegenwart und läßt den Hörer zurück mitten im schwer auf Juda-Jerusalem lastenden Imperialgefüge einer auf militärischen und wirtschaftlichen Druck setzenden Supermacht. Doch diese Gegenwart der dritten wird bereits wie die Zukunft der zweiten Strophe zur Vergangenheit der ersten Strophe gerechnet. Das in No Geschehene zieht das Geschehen in Ninive und seine Folgen nach sich. Was kommt, kann wie eine Episode der Geschichte schon besungen werden.
Die Kette, welche die Strophen aneinander bindet, der fast zwanghaft konsequente Verlauf der Niedergänge wird nun durch die Konfrontation der beiden Weltstädte verstärkt. Zwar ergibt sich kein Gleichgewicht im Gedicht. Was die Strophenzahl und den Umfang betrifft, liegt größeres Gewicht auf Ninive, auf der Zukunft, auf der Katastrophe am Tigris. Doch ist dies unmittelbar einsichtig im Blick auf die Gegenwartsbedeutung des assyrischen Zwangssystems der 50er Jahre des 7. Jahrhunderts. Doch lebt das Gedicht ganz aus der Analogie, der Vergleichbarkeit der beiden Weltstädte. Sie ist ja auch gewiß beeindruckend. Zwei gigantische, sagenhaft reiche Zentren der Welt mit unvorstellbaren Menschenmassen, beide an Strömen und Kanälen gelegen, durch sie geschützt und gefährdet; die eine von der Militärmacht der anderen erobert und geplündert. Wirklich ein Sujet für den wachen Beobachter des Zeitgeschehens, das Verhältnis der beiden „Frauen“ zueinander, das geheime Band, das beide zusammenhält als Vor-Bild und Gegen-Bild. Was ist es, das beide aneinanderkettet?
Es scheint, als ob der Dichter dieses Band in einer Art Talionsprinzip sieht, das er auf jener Ebene der Großmächte für gültig hält. „Bist du

besser als“, bzw. „Handelst du besser als“, bzw. „Soll es dir besser gehen als“ – mit diesen Sätzen kann man den einleitenden Ausdruck *ḫ*^{a}*têṭ*^{e}*bî* umschreiben, wobei deutlich wird, daß der Tun-Ergehen-Zusammenhang, das Tat-Folge-Verhältnis den Gedanken bestimmt. Dieses weisheitlich verbreitete, ethische Grundgesetz, das in der Tat die Tatfolge angelegt sieht, in der sich die Macht des Geschehens auswirkt, scheint der Dichter auch auf politischer Ebene in Geltung zu sehen. Daß offenbar eine Übertragung aus der Individualethik vorliegt, kann man aus der Tatsache schließen, daß das Verhältnis der Großstädte (und Großmächte) verkleinert im Maßstab einzelner Personen, eben zweier Frauen gesehen wird. Es ist mir wahrscheinlich, daß auf solche Weise der Transformation Gesetzmäßigkeiten auf weltpolitischer und großstaatlicher Bühne erfaßt und wahrnehmbar gemacht werden sollen. Dort gelten – soll gesagt sein – dieselben Gesetze wie im zwischenmenschlichen Verkehr. Das Gesetz der Talio begründet rational und sehr abstrakt, gleichwohl einsichtig, die Vergleichbarkeit der beiden Weltstädte und ihres Schicksals.
Doch führt die Frage der Perspektive und der Ratio des Gedichts zu dem wohl wichtigsten Problem weiter, der Frage nämlich nach der Autorisierung des Gesagten. In welcher Autorität wird hier geredet? Wer spricht denn nun mit Ninive? Ist es der Sänger als fiktiver Landsknecht, der aus soldatischer Erfahrung die Weltstadt verhöhnt? Man könnte das so sehen. Das wäre dann ähnlich wie beim Weinberglied in Jes 5, wo der Prophet auch zuerst verkleidete Figuren auf die Bühne stellt. Dort bricht die Wucht der Rede durch alle Maskierungen hindurch. Ist es hier auch so? Nach der Nahum-Überlieferung des Kontextes wäre für 3,8ff ebenfalls wie für 3,5ff eine Selbstrede Gottes anzunehmen, und das scheint doch wohl letztlich zutreffend zu sein. Denn wie anders wäre die Vollmacht, der Anspruch auf Geschichtsdeutung und Zukunftsweissagung zu verstehen, welche diese Verse bestimmt? Im letzten ist das Gedicht aus göttlicher Perspektive gesprochen, die einzige Instanz, welche die perspektivische Verkleinerung der Weltmacht (wie in Gen 11) legitimieren kann.
Das wirft zuletzt noch einmal ein besonderes Licht auf dieses Gedicht. Es enthält ja kein einziges theologisches Wort – sowohl das erste *([j]ṭb)* wie das letzte Wort (*mktk* „der Schlag, der dich getroffen“), die allenfalls so angesehen werden könnten, sind ja durchaus unspezifisch –, keinen theologischen Satz; Sprache aus völliger Profanität, Soldatenslang, politischer Hintergrund. Einzelne Wörter aus der akkadisch entlehnten Beamtenterminologie[18]; Bilder aus aller Welt (Wasserfestung, Feigenbäume, Heu-

[18] Vgl. *van der Woude*, Letter 113ff.

schrecken) – und alles als prophetisches Gedicht im Munde Gottes. Man wird sagen können, eine kühne Dichtung, politisch wie theologisch, wohl Kennzeichen eines *maśśā'*, wie sie 1,1 benennt, nicht dazu da, Geschichte oder Theologie darzustellen, sondern Geschichte zu machen und Theologie zu stiften.

2. Der in 3,1–4 eingepackte *Wehespruch* über „die Stadt" läßt sich am besten so auswickeln, daß man
(a) das Ende des großen Szenengedichts von Kap. 2 in 2,13 erkennt;
(b) 2,14 – 3,7 als eine Ringkomposition (2,14 ~ 3,5) ansieht, die sich um den Kern 3,2 kristallin gebildet hat – dem abgesprengten Kopfstück des Szenengedichts Kap. 2, das wie ein Fremdkörper unvermittelt im Textgefüge liegt;
(c) in dieser zweiteiligen Komposition die zwei Bildmotive erkennt, welche sie der Schale um den Kern 3,2 entnommen hat, einmal „Räuberhöhle": 3,14 schielt auf 3,1 und vor allem auf 2,12f (Höhle des Löwen, Raub) zugleich, zum anderen die Stadt als „Hure": 3,5f blickt auf 3,4 zurück;
(d) mit redaktionellen Verbindungsstücken rechnet, zu denen wohl vor allem 3,7 mit seiner Rahmenfunktion (zusammen mit 3,19: Reaktion auf den Untergang der Stadt) gehört.
Das ergibt folgenden knappen Grundtext, wie er dem Typus des Weherufs entspricht:

„*Wehe Blutstadt*
Lug und Trug
(reich durch) *Raub*
(nicht weicht) [und] *Beute!*[19]
[*Wehe*] *Huren*[*stadt*][20]
(wegen viel Hurerei ...)
reizende Schönheit
Hure und Zauberin
(welche Völker durch ihre Hurerei verkauft
und Volksstämme durch ihre Zauberei)!"[21]

---

[19] MT: vier Zweier, wahrscheinlich aufgefüllt, vgl. die kürzeren Zeilen in V. 4 und in den Gedichten, wohl drei Zweier (ohne *hôj*).
[20] Rekonstruktion in Analogie zu V. 1. Vgl. *Krieg*, Todesbilder, der V. 1 und V. 4 zusammenzieht (433f).
[21] Wohl erklärende Auflösung der lakonischen Diktion, vgl. *van der Woude*, Letter 111 Anm. 19. Vielleicht besser in *kmrt* (aus *mkrt*) ‚betörend' zu korrigieren; vgl. aber MT und 4QpNah.
[22] Letter 111; 122.

Die Prosateile lösen sich von selbst ab. Sie erklären den Text und suchen die lakonische Kürze zu mildern. Die Ergänzung zu Beginn des zweiten Teils (*hôj ᶜîr* „Wehe Stadt") aus 3,1 anstelle des pedantischen: „wegen viel Hurerei: Hure" mit schwieriger Konstruktusverbindung bleibt natürlich hypothetisch, betrifft aber mehr die Form als den Sinn des Textes.
Was ist dieser Text nach seiner Form? Man wird sagen: ein mehrteiliger (sechsfacher) Ruf, unter das Wehe gestellt, Totenklage und tödliche Anklage, jede Zeile für sich eine Parole wie ein Schlag, von knappster Diktion, in dem bekannten Zweitaktrhythmus, wahrscheinlich als Schlagwort oder Schimpfwort gedacht und gestaltet. Dabei von fast unglaublicher politischer Brisanz – jedenfalls vor 612, und, sofern Ninive gemeint ist und nicht Jerusalem.
Daß sich diese plakativen Parolen auf Jerusalem beziehen, ist trotz Ez 22,2; 24,6 meines Erachtens kaum wahrscheinlich. Zwar ist anzunehmen, daß das Jerusalem der Manassezeit in mancher Hinsicht die assyrische Weltstadt kopiert und imitiert hat. Doch es ist kaum vorstellbar, wie die Qualifizierungen der einzelnen Weherufe Jerusalem treffen könnten. Die Anklage auf „Mord" (Blutschuld) könnte zwar konkrete politische Maßnahmen, die im einzelnen nicht bekannt sind, aber auch nicht genannt werden, meinen; doch charakterisiert eine solche politische Anklage die Gewaltpolitik des assyrischen Terrorregimes weit eher als Jerusalems Vasallenhaltung. Auch die pauschalen Urteile: alles Bluff (Betrug, Heuchelei) und: reich durch Ausbeutung, paßt und trifft weniger deutlich auf das doch wohl eher betrogene und geängstigte wie ausgebeutete Jerusalem, als eben sehr gut als Kennzeichnung der assyrischen Einschüchterungspolitik und ihrer Propaganda, welche die westlichen Kleinstaaten in Angst und Schrecken hielt, und natürlich als Kennzeichnung der schier unerträglichen Tributleistungen und Abgaben, welche Ninive reich und mächtig gemacht haben. Auch der Bildkreis um die Kennzeichnung „Hure und Hexe" ist auf Jerusalem nicht leicht anwendbar und findet in dieser Richtung kein Ziel. Hingegen scheint doch die verführerische Faszination, die von der übermächtigen Weltstadt ausging, ein Thema zu sein, das die Zeitgenossen diskutierten und das jenen Vergleich mit der gefährlich schönen Frau provozierte. Interessant ist in diesem Zusammenhang auch der wiederholte Hinweis *A. S. van der Woudes,* im Hintergrund dieser Darstellung stünde das Bild der ninivitischen Stadtgöttin Ischtar. „There can be little doubt that the use of this figure was suggested by the nature of the cult of the city's diety (sic), Ishtar, goddess of love and a divine warrior." Doch dann hätten wir es hier mit einer Karikatur zu tun, wie sie soldatischer Mentalität entsprungen sein könnte.[22] Nimmt man

alles in allem, spricht doch mehr oder fast alles eher zugunsten der Deutung auf Ninive, wie es ja der Kontext (2,14 – 3,7) auch verstanden wissen will.
Damit rückt dieser Text in die Nähe der – soweit ich sehe – einzigen wirklichen Sachparallele in Jes 10,5, wo der gleichfalls in hartem Staccato gehaltene Weheruf im Grundtext[23] an Assur adressiert ist: „Wehe Assur, Keule meines Zorns, Stock meines Grimms!" In der knappen, schlagwortähnlichen Diktion gleicht dieser Slogan dem des Nahum, der indes wohl im Unterschied zu Jes 10 doppelt erging.
Über den Ort eines solchen Weherufs kann man leider nur Vermutungen äußern. Sicher scheint zu sein, daß man diese mit *hôj* eingeleiteten Parolen als „Rufe" ernst zu nehmen hat. Doch wo haben solche schrillen Töne ihren Ort? Gewiß in der politischen Öffentlichkeit, wohl weniger im Zusammenhang des Kults. Und so wird man sagen dürfen: Sie nähern sich dem, was man die prophetische Zeichenhandlung nennt. Sie sollen provozieren, zugleich anzeigen und ankündigen. Sie tun das mit einem Minimum an verbaler Aussage, aber mit einem Maximum an Ton- und Lautstärke. Ein solcher Zwischenruf ist eine Demonstration, auf Effekt bedacht, ein Impuls, der bewegen will, insofern also „Wortgeschehen", mehr Aktion als Argumentation. Nicht zufällig findet sich wieder das nächste Beispiel bei Jesaja, der nach Kap. 8,1 dazu aufgefordert wird, einen ähnlich gebauten Slogan, explizit kein Wehewort, doch nicht sehr weit davon, auf eine „große Tafel" mit „unlöschbarem (?) Griffel" zu schreiben: „Eile-Beute! Raube-bald!". Hatte auch Nahum das Wehewort auf ein Plakat geschrieben? Jedenfalls blieb es schriftlich erhalten.
Wo bleibt die theologische Aussage? Sie steckt in der symbolischen Handlung, liegt in der Vollmacht, der Supermacht mit ihrem Totalanspruch Paroli zu bieten, äußert sich in der Kühnheit solcher letztinstanzlicher Anklagen. Die Verkündigung des Gotteswillens ereignet sich, ohne daß ein theologisch geprägtes Wort laut wird. Denn die Kennzeichnung der Welthauptstadt als Mörderin und Zauberin, ihrer Macht als Bluff und Schein, enthält ein Urteil, wie der Weheruf den Tod als Strafe voraussetzt. Den Tradenten war diese tatkräftige Abstinenz theologischer Worte offenbar nicht erträglich. Die wohl aus Zufall (Verstausch 3,2) und Absicht (Anpassung an den Kontext) entstandene doppelte Ringkomposition in 2,14 – 3,7 (6) gibt in aller Ausführlichkeit einen breiten theologischen Rahmen. Die beide Teile einleitende Formelkombination in 2,14 und 3,5 macht den alten Weheruf zum Gotteswort, gibt ihm die besondere Würde eines hymnischen Titels („JHWH der Heere"). An den hart im Raume kollidierenden Textbrocken nahm man offenbar genauso wenig Anstoß

wie an den makabren Farben und Tönen, welche zum Teil aus dem großen Szenengedicht stammen, jedoch in 3,3 kräftig verstärkt wurden. So wurde daraus ein blutiges und deftiges Gemälde vom Untergang Ninives, an dem sich erst eine Zeit erfreuen konnte, die das miterleben durfte. In den neuformulierten Rahmenstücken zum Thema Raub – das Stichwort stammt aus dem Weheruf, das Bild aus dem nahen Kontext (Löwenhöhle 2,12f) – und zum Thema Verführung (3,4ff) wird kaum verschleierter Haß und unverhohlene Schadenfreude laut, welche die Verfasser des Rahmentexts 3,7.19b aus der Schwere des erlittenen Leids erklären. Jedenfalls wird auch hier die Tendenz spürbar, den symbolischen Sprachakt Nahums mit einer theologischen Legitimation und Interpretation zu umkleiden.

3. Das *dramatische Gedicht,* welches im 2. Kapitel überliefert ist, arbeitet mit denselben Stilmitteln wie die schon besprochenen Texte aus Kap. 3. Wir stellen eine Rekonstruktion seines Urtextes an den Anfang.

I „Peitschenknall und Räderbeben.[24]
Rosse bäumen,[25] Reiter[26] jagen.
Kampfeswagen mit Gerassel...

II Da zieht er herauf! Der Feind[27] vor dir![28]
Halte Wacht![29] Spähe zum Weg!
Gürte die Lenden! Rüste mit Macht![30]

III Rote Schilde, scharlachfarben die Schutzwehr.[31]
Feuerfackeln die ‚Sicheln‘ und Lanzen wie Blitze.[32]
(Flammende Schwerter und blitzende Spieße.)[33]

---

[23] Vgl. *Kaiser* z.St.

[24] Zweites *qôl* Glosse zu *rʿš* (außerhalb des Metrums).

[25] *dhr*, 2mal belegt (Ri 5,22), „jagen“ (HAL 206), jedoch vermutlich lautmalerisch „wiehern“.

[26] Ursprünglich *prrš* (> *prš*) ‚Reiter‘. V. 2 mit Entflechtung der Zeilen. Der Rest von V. 3a zu 2,4, bzw. Glossierung sub voce *pgr* ‚Leiche‘.

[27] MT: „Zerstreuer“ (< *pwṣ*), zu lesen: „Zerstörer“, „Zermalmer“ (<*pṣṣ*, bzw. *npṣ*).

[28] *ʿal* mit Akzent ‚gegen‘ (vgl. Ex 20,3: *ʿl pnj*).

[29] MT: „Befestigung“, „Belagerung“ > *mṣrh** ‚Wache‘.

[30] *mʾd* wird als Nomen erklärt durch beigefügtes *kḥ* „Kraft“: „nach Vermögen“.

[31] *ḥjl* I ‚Heer‘, besser im Parallelismus *ḥjl* II ‚Vorwerk‘, ‚Schutzmauer‘, wohl militärischer Terminus. MT denkt an Uniform oder Bemalung der Soldaten (Offiziere?).

[32] Rekonstruktion. MT: „im Feuer die Wagenbeschläge – am Tag ihrer Herstel-

IV In den Gassen rasen[34] die Wagen,
holpern krachend über die Plätze.
Sie schwanken, sie schleudern.[35]

V Die Edlen[36] straucheln, eilen zur Mauer:
Das Sturmdach errichtet, die Stromtore offen.
[Tote in Massen, Haufen von Leichen.][37]

VI Der Hof verzagt: die Sänfte geöffnet,
Entführt die Herrin, die Mägde verschleppt.
Sie klagen wie Tauben, schlagen die Brust.[38]

VII Ninive gleicht einem einzigen See.
Wasser vom Stauwehr![39] Sie fliehen dahin.
Halt, doch halt! Nichts hält sie auf.

---

lung" paßt nicht ins farbige Bild der schimmernden Wehr. *k'š lpdt ḥrb,* möglich ist auch: *k's pldt (kjdnjm)* „wie Schmiedefeuer (die Sichelschwerter)". *pûlād* ‚Stahl', Lehnwort aus dem Persischen (HAL 878), oder parallel zu ug. *pld* ‚Bedeckung', ‚Bezug' (nach *Keller* 121 Anm. 2: „scharlachfarbene Wagenbezüge" o. ä. Dekorationen an Wagen oder Zaumzeug. Die Versionen denken in diese Richtung: LXX ἡ νίαι und Vg habenae „Zügel", Tg allerdings: „Elefanten". *bršjm* ‚Zypressen', als Terminus technicus ‚Lanzen'; LXX liest (mit Syr) wohl < *pršjm* statt *bršjm*, vgl. *Gaster*, Two Notes 51 f.

[33] Zweite Zeile ergänzt mit Hilfe von Wörtern aus V. 5b, die dort nicht in den Rahmen der Strophe: „Wagenverkehr" passen. Dritte Zeile aus 3,3 hierher versetzt, dort überzählig.

[34] *hll* III hitpo. „wie verrückt fahren" (HAL 239), wahrscheinlich Ersatzverb zu *rʿl* (hof.) ‚schwanken', ‚taumeln'.

[35] Entflechtung in 2,5b; die Farbvergleiche gehören zu Strophe III (2,4). Es folgen eine Reihe lautmalender Verben: nach *rʿl* ‚schwanken' *hll* III ‚wirr sein', *šqq* ‚stürzen', ‚rennen' (hitpalpel GB: „sich überrennen"), *rṣṣ* (po.) ‚stoßen', ‚brechen', bzw. *rwṣ* (pil.) „hin- u. herfahren" (GB), *krr (jkrkrw* Konjektur aus *jzkr)* ‚rollen', ‚tanzen', wohl ‚schleudern'. Insgesamt Imperfecta iterativa.

[36] Zur nächsten Strophe zu ziehen. Leichte Korrektur: *'drjm.* Zu den „Stromtoren" vgl akk. *bâb nâri* ‚Schleuse', dazu *Saggs,* Fall of Niniveh 220ff, anders *Keller* 123 f.

[37] „auf ihren Wegen" ist Glosse. Die 3. Zeile aus 3,3 hierher versetzt zur Füllung der Strophe.

[38] Strophenszene „Hof" beginnt wohl schon mit V. 7b. *ṣāb* ‚Sänfte', ‚Prunkwagen' o. ä. ist möglicherweise ein Lehnwort aus dem Akkadischen: *ṣumbu, ṣubbu* ~ *ṣabbu* „Wagen mit Verdeck" (griech. λαμπήνη, äg. *db.w*), vgl. Num 7,3; Jes 66,20 (Par. „Wagen"). Zum Problem der Stelle vgl. *Driver*, Farewell to Queen Huzzab, dazu *Keller* 122 Anm. 1. MT liest hof. von *nṣb*: „aufgestellt werden". *hʿlth* < *ʿlh* hof. ‚entfernt werden'; es fehlt das explizite Subjekt: sie = die Königin. *mnhgwt* po. < *nhg* statt pi. Möglich ist auch eine der Szene entsprechende Korrektur (oder Ergänzung) *hgwt* „klagend wie…". „Brust" eig. „Herz".

[39] MT: *mjmj hjʾ* ist ohne Sinn. Vielleicht darf man ein graphisch ähnliches *mjmj*

VIII Raubt Silber, raubt Gold!
Kein Ende des Reichtums!
Schätze von allem, kostbare Dinge![40]

IX Öde, Verödung und tödliche Einöde!
Leere, Entleerung und Verheerung!
Das Herz zerfließt, so wanken die Knie!
Schmerz und Qual, Todeskämpfe, Fieberglut.[41]

X Wo sind die Löwen, wo das Versteck der Jungen?
Der Löwe, der riß, würgte seine Löwinnen?
Die Höhlen beraubt, das Lager erbeutet.“[42]

Wie erkennbar ist, bildet ein dreifacher Doppelzweier als rhythmische Struktur 2+2|2+2|2+2 die strophische Grundeinheit, wie sie etwa 2,2 exemplarisch hervortritt. Die Zweier bilden dieselben Staccato-Figuren, wie sie von den Versen aus Kap. 3 geläufig sind. Insofern bleibt Nah in den überlieferten Dichtungen bei seinem einmal gefundenen Rhythmus. Auch die Stilzüge und Prägungen durch Assonanz, Alliteration und Wortspiele finden sich hier wieder. Als eklatantestes Beispiel sei 2,11a genannt: *bûqâ um*^{e}*bûqâ um*^{e}*bullāqâ* („O Wust, o Wüste und Verwüstung“, *H. Schmidt*) oder auch 3,2: *umerkabâ m*^{e}*raqqēdâ* („rasselnde Kampfeswagen“) zusammen mit ähnlichen Tonskizzen in den Versen 2,5f. Hier eine Sammlung von Stileffekten:

3,2f: lautmalend im ganzen: knallen, knirschen, wiehern, rattern und rasseln.
2,2: alliterierendes *ʿl*; Paronomasie *nṣr*.
2,4: *m*-Alliteration.

hwh „Wasser des Verderbens“ oder gar im Rahmen der Bildszene ein *mj mmzḥ* „Wasser vom Staudamm“ vermuten. Zu beachten ist die Häufung der fließenden *m/n*-Konsonanten (MT: *m* 9mal; *n* 5mal), abgeleitet aus dem Klangmotiv *mjm* ‚Wasser‘, kombiniert mit *Nin-* < Ninua. Gedacht ist wohl an die von Sanherib angelegten Staudämme und Kanäle am oberen Choser.

[40] Text wohl unversehrt.

[41] Lautspiel mit dem hohlen Klang der Silben *buqa*. Die 3. Zeile ist überfüllt: „in allen Hüften“ und „die Gesichter aller sammeln...“ sind Erläuterungen zu den medizinischen Termini des Gedichts. Zur umstrittenen Deutung der „Fieberröte“ und der Wendung „die Röte einsammeln“ („fahl werden“ oder „glutrot werden“), vgl. HAL 859f und *Görg*, Metapher 73ff. Die Wendung ist von Joël 2,6 beeinflußt.

[42] Stark angereicherte Strophe. Die Zusätze suchen das Gleichnis anschaulich zu machen. V. 12b ist ein Prosasatz. Textkritisch ist *mirʿê* ‚Weide‘ zu beanstanden und wohl zu *m*^{eʿ}*ārâ* ‚Höhle‘ zu korrigieren. Zu *lbjʾ* V. 12b vgl. die Versionen und 4QpNah < *bwʾ* ‚kommen‘.

2,5: 3 (5) onomapoetische Verbformen – Wagenverkehr in der Stadt; 2,4: *rʿl* „schwanken"; 2,6: cj. *krkr* „schleudern, wirbeln".

2,8: *mnhgwt* – *hgwt* (Haplographie?)

2,9: *njn* + *mjm* Klangfigur, *m/n*-Dominanz (vergleiche Korrektur): Überflutung.

2,11: dumpfes Dröhnen, 3 Schläge *bûqâ*, Anklang an *baqbuq* „(hohle) Wasserflasche", imitiert erlahmenden Herzschlag mit rhythmischem Ritardando: *u-a / u-u-a / / u-u / a-a-/ /. lēb nāmēs* (11b): ohne semantischen Gehalt. *ḥlḥlh* ~ *p'rwr* medizinische Paarbegriffe.

2,12: 4 Löwenbezeichnungen variiert (mit Numeruswechsel sowie Einzel-, Gruppenplural) = Rudel von Löwen. Wortspiel *'jh 'rjh*.

Die rhythmischen Einheiten bilden Strophen, die jeweils eine Szene schildern. Nimmt man 3,2 als Kopfstück hinzu und versucht – wie oben gezeigt – die Szenenstrophen zu ordnen, ergibt sich zwanglos ein Zehn-Strophengedicht. Dies kann angesichts der Formgebung des Gedichts mit drei offenbar siebenzeiligen Strophen in Kap. 3 nicht verwundern, unterstreicht vielmehr die Formstrenge, mit der Nah seine Texte konzipiert hat.

Die Einzelstrophen zeigen je eigenes Profil und eigene Farbe. Beginnt 3,2 I damit, den Lärm des vorwärtsziehenden Heeres zu imitieren, knallen und knarren, wiehern *(dhr)* und rasseln nachzuahmen *(qôl)*, lenkt 2,2 II die Aufmerksamkeit auf die erwachende Reaktion der Angegriffenen, welche aus hastigen Zurufen besteht: die Wächter schlagen Alarm. 2,4 III lenkt zu den Angreifern zurück; rot ist die Farbe der Aggression: rote Schilde, purpurfarbene Schutzwehre (?), feuerrote Sichelschwerter (?), Lanzen wie (rote?) Brandfackeln. 2,5 IV bringt Bewegung ins Bild der schlafenden Stadt. Wagen rasseln hektisch über das Pflaster der Gassen und Plätze, eher in panischer Eile als in zielvoller Geschäftigkeit. Die Edlen 2,6 V, wohl Gouverneure oder Offiziere, werden tätig, straucheln nervös, eilen zur Mauer, erkennen die Lage als hoffnungslos: die Belagerung ist im Gang, dazu stehen die Stromtore arglos offen. 2,7b.8 VI Der Hof verzagt. Die Königin ist bereits entführt, mit ihren klagenden Mägden. Die Königssänfte ist geöffnet. 2,9 VII Ein Dammbruch (?) verursacht eine Überschwemmung und macht die Altstadt zum „Wasserteich". 2,10 VIII Die Plünderung wird freigegeben – wieder hört man die Rufe der Soldaten und 2,11 IX die letzten Herzschläge der sterbenden Stadt. 2,12f X endlich, die Schlußstrophe, deutet das Geschehen im Gleichnis: Die Höhle des Löwen ist ausgehoben und zerstört. Ninive ist nicht mehr.

Es ist deutlich, daß die Einzelszenen den Ablauf der Eroberung darstellen. Dabei schildern sie jeweils Augenblicksereignisse, geben Impressionen wieder, als ob ein zuschauender Zeuge die Vorgänge aus eigenem Erleben darstellen würde. Sie geben sich dem äußeren Geschehen hin, fügen es zum Schauspiel mit dramatischen Akzenten.[43] Innere Zusammenhänge der Abläufe, Ursachen, Ziele, Pläne und Folgen spielen keine Rolle. Man erfährt nichts über die Identität der Angreifer, nichts über die Politik des assyrischen Großkönigs, geschweige denn über die Meta-Historie übergreifender Sinnzusammenhänge. Auch hier wird Theologie nicht expliziert. Allein das deutende Löwengleichnis (2,12f) deutet Bezüge an, der Art, daß mit der Jagd auf das gefährliche Raubtier, den König der Tiere, eine Bedrohung der übrigen Tierwelt abgewendet wird. Dies jedoch, ohne daß die Ursachen und Konsequenzen näher umschrieben werden.

Der Dichter-Prophet versucht sich einmal mehr am „genre d'une chanson folklorique" *(C. A. Keller)*[44], genauer am genre der Soldatenlieder. Darin stimmt auch bei diesem Text alles überein: Horizont, Perspektive, Augenmerk, Interesse, Ton und Rhythmus entstammen der Welt des Soldaten. Jedenfalls konvergieren in dieser Annahme alle Linien, wenngleich mangels Vergleichsmöglichkeiten ein strenger Beweis nicht zu führen ist.

Doch ist nun eben auch dieses Gedicht eine prophetische Fiktion, das heißt „Zukunftsschau, nicht Erlebnisbericht" *(W. Rudolph)*[45], und in dieser Ausrichtung liegt auch die Bedeutung dieses Sprachereignisses. Über die Herkunft und Entstehung solcher visionärer Dichtungen kann man so gut wie nichts sagen. Man muß annehmen, daß die Überschrift in 1,1 zu Recht Nahum mit „Gesichten" in Zusammenhang bringt, daß er ein Seher war, ein Mensch, der Visionen hatte. Überliefert sind jedoch nur solche, die in dichterische Form gebracht von Ninive handeln. Leider weiß man über die biographischen Voraussetzungen – persönliche Erfahrungen? Träume? zeitgeschichtliche Informationen? – nicht das Geringste. Jedenfalls hat er seine Sicht der Zukunft ins Gedicht und Lied transponiert nach Art und Weise der großen Propheten des 8. Jahrhunderts. Doch seine Verse – das zeigt wiederum dieses große Szenengedicht – waren auf einen leicht verständlichen und eingängigen, expressiven und effektvollen Ton gestimmt. Man denkt unwillkürlich an Volkslieder, ja an Schlager. *C. A. Kellers* Charakterisierung ist zutreffend. Er denkt an ein „chanson populaire" oder „chanson folklorique", das der Prophet viel-

---

[43] „une séquence de flashes impressionistes, qui ‚photographient en gros plan'", *Renaud*, Composition 211.
[44] *Keller* 119ff; 126 u. ö.
[45] *Rudolph* 170.

leicht nicht einmal selbst verfaßt, sondern möglicherweise zitiert oder jedenfalls imitiert.[46] Er nennt Nahum aber auch einen großen Dichter („grand poète").[47] Tatsächlich stellt ihn diese dichtende Anpassung an das Soldatenlied neben einen Jesaja, der ähnliches mit dem Liebeslied (Jes 5,1ff), oder neben Amos, der solches mit dem Leichenlied (Am 5,1f) gemacht hat. Bei Nahum ist das alles nur noch weiter vorangetrieben, der Umfang ist erweitert, die Zahl der Szenen ist vermehrt, doch die ironische Distanz ist kaum spürbar, die Deutung fehlt fast ganz – das Höhlengleichnis der 10. Strophe soll dafür stehen. Die Perspektive ist zwar auf Einzelszenen verengt, aber ganz auf die Realität gerichtet. Sie zeigt Abläufe, wie sie um 612 auch hätten geschehen *können*. Nicht umsonst stritt man sich um die Historizität. Der Dichter wollte Realität imitieren.[48] Das Interesse des Dichters indes lag wohl weniger an den großen politischen oder strategischen Linien. Solche kommen eigentlich nicht zur Sprache. Die Identität und Absichten des überfallenden Heeres bleiben im Dunkel wie die herrschenden assyrischen Könige. Nur einmal kommt „der Hof" (Palast) ins Bild. Er „schwankt" und verzagt. Sonst sieht man Szenen aus dem Erlebnishorizont des einzelnen Soldaten und Augen- und Ohrenzeugen. Das Interesse haftet ganz an dem Ablauf des Geschehens, an dem unaufhaltsamen Sturz der Weltstadt und Weltmacht. Man sieht vor sich, wie eine Stadt Zug um Zug tiefer fällt und sterbend in den Fluten versinkt. Eine zwingende Logik, mit jeder Szene wird sie weiter getrieben und in Bewegung gehalten („wie im Film"), bis sie sich dem Hörer oder Leser als Vorstellung unauslöschlich ins Bewußtsein drückt.
Die Intention dieser Realität vorwegnehmenden Prophetie, die sich sozusagen ganz auf die Ankündigung konzentriert und das auf Kosten einer Begründung, wie es wohl der Tradition eines Orakelausspruchs oder Weissagung *(mś')* entspricht, steht damit zur Debatte. Daß sich mit solchen Weissagungen eine magische oder beschwörende Macht verbinde *(C.A. Keller)*, kann wohl nur noch im übertragenen Sinne zutreffen, wiewohl das auf dem Boden der Mantik noch vereinigt war (vergleiche Num 22ff). Eher schon ist von einer im weitesten Sinne politischen Intention zu reden. Geht man davon aus, daß auch diese Dichtung in die große Zeit Assurs um 650 gehört, eine Zeit, da solche Vorstellungen in

[46] „cite et imite", 126 Anm. 2.
[47] 120.
[48] Interessant ist zu sehen, wie die Realitäten von 612 – beschrieben in der kompositionellen Einheit 2,14 – 3,7, z.B. vom Brand Ninives (2,14) – die Prophetie eingeholt hat, welche mehr an eine Überschwemmung und nicht an eine jahrelange Belagerung und Ausräucherung gedacht hatte.

Juda als undenkbar, weil realitätsfern und zu gefährlich gelten mußten, so ist zu vermuten, daß diesen Versen geradezu etwas Subversives, gegen die herrschende Meinung in Juda, gegen Defaitismus und Subordination Gerichtetes anhaftet. Es sind „verbotene" Verse von einer politisch wie militärisch abgeblockten Alternative, die wenigstens im Denken und Hoffen einen kleinen assurfreien Bewegungsspielraum öffneten, ein Raum wohl zum Atmen. Das Ziel Nahums war von bescheidener Art. Er wollte einen Freiraum schaffen; füllen mit Glauben und Theologie wollte er ihn nicht. Er sah Ereignisse, welche den massiven Block des assyrischen Regimes zusammenbrechen ließen und mit ihm alle im Juda Manasses, die an diesem System beteiligt waren. So kommt der Aspekt des „Drohwortes" zum „Heilswort" hinzu. Während das letztere deutlich im Vordergrund stand – für die Tradenten wie für die Ausleger –, geriet das erstere in den Schatten. Doch ein „Ausspruch gegen Ninive" konnte in Juda-Jerusalem – bei der engen Zusammenarbeit – nicht ohne eigene Betroffenheit gehört werden.[49] Doch über die unmittelbare Wirkung verlautet nichts, auch nicht über eine Reaktion gegen den „Friedensherold", einen Ehrentitel, den man den Propheten um Nahum (wenn nicht ihm selbst, 2,1) erst später zuerkannte, als man sie zu großen Sehern erklärte (Nah 1,1, vergleiche Hab 1,1).

---

[49] S. Kap. IV.2.

IV. Nahum – Person und Zeit

1. Die *Daten zur Person* des Propheten sind schnell aufgezählt. Sie bilden ein Minimum. Der Name *Naḥûm*[1] ist entweder eine Abkürzung von *Nḥm-JH* (also Nehemia), bzw. *Nḥm-'l* „JH/Gott tröstet" (*nḥm* Piel)[2] – das theophore Element JH oder *'l* wäre weggefallen – oder eine Nebenform von *Naḥḥûm* „Tröster".[3] Er ist im Alten Testament nur Nah 1,1 belegt, doch zeigen zahlreiche inschriftliche Belege[4], vor allem aus dem Juda des 7./6. Jahrhunderts – Jerusalem, Arad, Lachis, Moreschet Gath –, daß er nicht ganz selten war. Darum fügen die Tradenten auch zur näheren Bestimmung eine Herkunftsbezeichnung bei: „der Elqoschite(r) *(h'lqšj)*. Ein Vatername ist nicht überliefert. Er war offenbar – wie bei Amos – nicht mehr bekannt.

Nur der Herkunftsort war noch geläufig. Doch dieser läßt sich nicht eindeutig identifizieren. Der Legende zuzurechnen sind Angaben über das Grab Nahums im Dorf *alkus (al quš)* nördlich des ehemaligen Ninive (16. Jahrhundert, muslimisch), bzw. über den Ort Kapernaum am See Genezareth (Κεφαρναουμ als *kpr nḥwm* „Nahumsdorf"), der mit Elqosch und Nahum in Verbindung stehe (christlich). Ernster zu nehmen sind die Angaben bei den Kirchenvätern. Hieronymus berichtet in seinem Kommentar[5], „Elcesi" sei ihm von einem jüdischen Fremdenführer (circumducens) gezeigt worden und sei „bis heute" ein kleines Dorf in Galiläa mit geringen Ruinenresten. Doch er sagt nicht genauer, wo das war. Eine Beziehung zu Kapernaum stellt er nicht her. Die griechischen Kirchenväter, etwa Cyrill[6], denken an einen Ort in Juda in der Gegend von

---

[1] Dazu HAL 647. Die griechische Aussprache war Ναουμ; vgl. Lk 3,25.

[2] So nach *Noth*, Personennamen 38; 175.

[3] Nach *Stamm*, Namenkunde (Hebräische Ersatznamen) 75.

[4] Eine kleine Sammlung ohne Anspruch auf Vollständigkeit: Arad Ostraka (7./6. Jh.): 16,10 (?); 17,1.8: *Nḥm*; 40,1f: *Nḥmjhw (Lemaire* 172ff; 207; *Jaroš* Nr. 69; Nr. 37); Siegelabdrucke aus *t.el ǧudēde* (Moreschet Gath, 6. Jh.): *Nḥm ʿbdj (Hestrin – Dayagi-Mendels* Nr. 17); aus *t.ed duwēr* (Lachis): *Nḥm ʿbdj (Diringer* 44f); *Nḥm Hṣljhw* (Lachish III, Pl. 47B:3); aus *el ǧib* (Gibeon?): *Nḥm Hṣljhw (Pritchard* 27); aus Jerusalem (7./6. Jh.): *Nhm bn Š'lh (Shiloh-Tarler* BA 49/4 [1986] 205 Nr. 2 [193!]); unbekannter Herkunft (7./6. Jh.): *Nḥm 'lšmʿ (Hestrin – Dayagi-Mendels* Nr. 71); *Jqmjhw bn Nḥm; N[ḥ]m bn Rp'[jhw]; Ptḥ bn Nḥm; Jbn Nḥm; Jḥm (Avigad* Nr. 77;121;153;176;202)...

[5] Commentaria in Naum prophetam, MPL 25, 1289–1334. Dazu positiv *van der Woude*, Letter 120ff.

[6] „Irgendwo in Juda". – Im Onomastikon des Euseb ohne Angabe (90,12).

Eleutheropolis *(bet ğibrin)*, d.h. in der engeren Heimat des Propheten Micha.[7] Daran knüpft sich allerdings die fragliche Erwägung, die mit dem Namen *el qoš* (= Qamoš?) gegebene Bezeichnung des moabitischen Gottes deute noch weiter in den Süden.[8] Eine Klärung konnte bisher nicht erreicht werden.[9] Wahrscheinlich aber handelt es sich um einen Ortsnamen vom Typ *'qtl*[10], also mit prosthetischem *Alef*, der als „Ort des/oder für *lqš* = ‚Öhmd', ‚Spätsaat'"[11] o.ä. zu deuten ist. Damit könnte eine landwirtschaftliche Bezeichnung für einen wohl kleineren Ort (Gehöft, Weiler) gegeben sein, ohne daß eine Lokalisierung mehr möglich ist.
Es ist möglich, daß die Beifügung der Herkunft erst von Späteren zur Unterscheidung von Personen gleichen Namens hinzugefügt wurde, als dem Dichterpropheten überregionale Bedeutung zuwuchs. Die Unkenntnis weiterer Lebensdaten läßt eine erhebliche zeitliche wie räumliche Entfernung vermuten. Oder war er vielleicht unter dem Sängernamen „Nahum von Elqosch" schon so bekannt geworden, daß man auf weitere Angaben verzichten konnte? Es ist wohl eher damit zu rechnen, daß die wenigen Daten die letzten Reminiszenzen sind, die den Editoren erreichbar waren. Der Vergleich mit den Zeugnissen über andere Propheten des 8./7. Jahrhunderts, mit Micha, Habakuk, Zefanja etwa und auch mit jenen, bei denen Schülerkreise mit besonderen Erinnerungen anzunehmen sind wie Amos (Kap. 7), Hosea (Kap. 1 – 3), und mit solchen, wo mehr Informationen gegeben waren, wie etwa mit Jesaja, zeigt, daß man das Mögliche versucht hat, es aber meist bei wenigen Daten belassen mußte.

2. Da wir in der zeitlichen Ansetzung der Gedichte Nahums der Frühdatierung[12] folgen, d.h. eine Entstehung kurz nach dem Fall No Amons (Theben) im Jahre 663 und lange vor dem Fall Ninives 612 annehmen, ist als *zeitgeschichtlicher Hintergrund* etwa die Epoche der 50er Jahre des 7. Jahrhunderts anzusehen. Diese Epoche war in Juda/Jerusalem durch zwei Namen geprägt: durch den des assyrischen Großkönigs Assurbanipal (668–632?) – erste Hälfte seiner Regierungszeit – und den des Königs

---

[7] S. Ges.[18] 69, zur Diskussion *van der Woude*, Letter 121.
[8] Vgl. *Procksch* 131; *Rudolph* 149.
[9] Das Targum deutet das Wort anders: „aus dem Hause Qoši" (Vatername?). *Keller* möchte eventuell an einen Symbolnamen denken: „Der Tröster, der dem Spätregen *(mlqš)* gleicht" (108), dazu *Rudolph* 149. Vgl. auch *Maier* 20ff.
[10] Analoge Beispiele wären *'Akzîb*, *'Akšāp̄*, *'Arpād*, bzw. *'Elt^{e}qôn*, *'Ep̄rātâ*, *'Eštā'ôl*, *'Ešt^{e}mô^{c}â*.
[11] HAL 509.
[12] Zur Datierung o. I, II, III.

Manasse von Jerusalem (696–642) – zweite Hälfte seiner Regierungszeit. Nach dem inschriftlichen Material und den biblischen Zeugnissen[13] lassen sich drei Faktoren ausmachen, welche die Situation in Juda und Jerusalem um die Mitte des 7. Jahrhunderts bestimmten:

1. die Ägyptenfeldzüge der assyrischen Herrscher im Rahmen der Stabilisierung des Großreichs im Westen;
2. die assyrische Präsenz und der Druck auf die Vasallenstaaten;
3. das religiöse Klima unter dem Terrorregime mit seinen Fremdeinflüssen.

(1) Zu reden ist zunächst von dem Ereignis, welches auf Nahums Dichtung in besonderem Maße eingewirkt hat, dem Fall Thebens.[14] Dieses ist in der keilschriftlichen Literatur verschiedentlich durch Assurbanipal festgehalten worden.[15] Danach haben die Assyrer Theben unter Assurbanipals Herrschaft zweimal erreicht.[16] Das erste Mal bei der Verfolgung des Äthiopiers Tirhaka *(Tarqû)* aus der 25., der äthiopischen Dynastie (690–664) nach seinem Aufstand gegen die von Asarhaddon geordneten Verhältnisse in Unterägypten.[17] An diesem ersten Feldzug waren auch 22 (oder 12?) Könige aus dem Westen des Reiches beteiligt, unter anderen auch Manasse *(Mi-in-si-e)*, der König von Juda *(Ja-ú-di)*, mit einem Heereskontingent.[18] In Eilmärschen verfolgten sie Tirhaka von Memphis

[13] Zu verweisen ist auf die historischen Überblicksdarstellungen bei *Donner*, Geschichte Israels II 287 ff: „Das assyrische Zeitalter“, und bei *Kitchen*, Third Intermediate Period 394 f.

[14] Ägypt. *Wꜣs.t* (für Stadt und Gau) oder einfach *nw.t* ‚Stadt‘, auch *T-apet* bzw. *Djeme*. akk. *Ni-i*, heth. *Nija*, hebr. *No'(ʿĀmôn)*, griech Διος (πολις) vgl. HAL 621. Die Bezeichnung Θήβας ‚Theben‘ beruht wahrscheinlich auf einem Mißverständnis („frei nach Kannitverstan“, *Burkert*, Das hunderttorige Theben 5 Anm. 1). Vgl. u. a. *Vycichl*, Ortsnamen 82 ff.

[15] Zu den verschiedenen Darstellungen der Ägyptenfeldzüge vgl. *Spalinger*, Assurbanipal and Egypt.

[16] Wichtig sind folgende Quellentexte:
1. Der Rassam-Zylinder aus Kuyunjik (Kol. I ff): Text bei *Streck* II 3 ff; *Borger* BAL I 92 ff, II 339. Übersetzung: *Oppenheim* ANET 294 ff. Dazu die ANET 295 Anm. 12 genannte Variante.
2. Annalen – Tontafeltexte BM K 228 + K 2675 (mit Ergänzungen zu [1]): *Streck* II 158 ff; ANET 296 f.
3. Die Inschrift am Ischtar-Tempel in Kuyunjik: Text *Thompson* 71 ff, ANET 197.

Dazu kommt möglicherweise das Kalksteinrelief BM 124928) aus Kuyunjik, das die Einnahme einer ägyptischen Stadt durch Assurbanipal zeigt: ANEP Nr. 10, vgl. Ausschnitte BA 46/2 (1983) 84; IBD I 484; *Brunner*, Relief, u. a.

[17] Kol. I 62 ff Rassam-Zylinder, *Streck* II 7 ff.

[18] Zylinder C, *Oppenheim* ANET 294, *Streck* II 139 ff.

nach Theben. „This town (too) I seized and led my army into it to repose (there)“.[19] Doch er entkam nach Kusch *(Kûsi)*.
Beim zweiten Feldzug gegen den ebenfalls aufständischen Nachfolger Tirhakas, Urdamane[20], Sohn Schabakus, der wiederum eine Verfolgung nach Theben notwendig machte, kam es zu den in Nah 3,8 ff geschilderten Ereignissen. „Jene Stadt[21] ihrem Gesamtumfange nach eroberte ich unter dem Orakelbeistand Assurs und Ištars. Silber, Gold, Edelsteine, den Besitz des Palastes, so viel er war, buntfarbige Kleider, Linnen, edle Pferde, männliche und weibliche Einwohner, zwei hohe Obelisken, aus glänzendem *zaḫalû*[22] gefertigt, deren Gewicht 2500 Talente[23] betrug, vor dem Tempeltor, entfernte ich von ihrem Standorte und nahm sie nach Assyrien. Schwere Beute ohne Zahl schleppte ich aus Ni' weg. Gegen Muṣur und Kûsi ließ ich meine Waffen wirken und zeigte meine Macht. Mit voller Hand kehrte ich wohlbehalten nach Ninive, meiner Residenzstadt, zurück.“[24]
Der Parallelbericht der Annalen zeigt, daß Assurbanipal wohl nicht persönlich der Eroberung beiwohnte. Subjekt der Handlung ist dort durchgehend „das Heer“. Dieses kommt über die große Stadt „wie die Sintflut“ *(a-bu-biš)*.[25] Auch weiß der Bericht noch von andern Beuteformen, so vor allem den „Bergaffen“. Nicht mehr erwähnt werden die beiden Obelisken.[26]
Die hier berichtete Eroberung und Plünderung der Stadt Ni'/No-Theben ist – soweit ich in Erfahrung bringen konnte[27] – in ägyptischen Quellen nicht bezeugt. Der von *W. M. Flinders Petrie* Ende des letzten Jahrhun-

---

[19] Kol. I 89 Par., ANET 294.
[20] Ägypt. Tanwetamani/Tanutamun.
[21] Variante: „Hauptstadt von Ägypten *(Mu-ṣir)* und Äthiopien *(Kû-si)* (ANET 295 Anm. 12). Vgl. *Spalinger*, Assurbanipal and Egypt.
[22] Wohl mit Goldbronze-Überzug, dazu *Kitchen*, Third Intermediate Period 394 Anm. 891; ANET 295 Anm. 14.
[23] Gesamtgewicht über 100 t.
[24] Rassam-Zylinder Kol. II 37–47, Text: *Streck* II 17; *Borger* BAL I 92 ff II 339, Übersetzung nach *Streck* und *Oppenheim* (ANET 295).
[25] Tontafel-Variante. *abûbu* ‚Sturmflut‘, ‚Sintflut‘, AHw 8, CAD A 76 ff.
[26] Zu den Funden ägyptischer Gegenstände in Assyrien, vgl. *Kitchen*, Third Intermediate Period 394 Anm. 891; *Leclant*, Art. Taharqa, LÄ 6 Sp. 155 ff. Darunter sind Statuen Taharqas *(t.nebi junis)*, nicht aber die zwei Obelisken (Sp. 167 Anm. 243).
[27] Die sog. Traumstele des Königs Tanutamun feiert nur dessen Siege in Unterägypten von 664, vgl. *Leclant*, Art. Tanutamun, LÄ 6, Sp. 211. Diese und andere Hinweise verdanke ich Herrn *Th. Schneider* vom Ägyptologischen Seminar, Basel. Vgl. seine Arbeit: Nahum und Theben (u. X).

derts in einem Tempel in Theben gefundene assyrische Soldatenhelm aus Bronze[28] ist ein sehr schwaches Indiz. Wichtig ist zu erkennen, daß auch in den assyrischen Quellen von einer Zerstörung der Stadt nicht die Rede ist[29], wohl aber von Deportationen. Dies entspricht ziemlich genau der Darstellung Nahums, die von der Einnahme (trotz der „Wassergräben" der Nilarme 3,8), Wegführung *(golâ)* und Gefangennahme *(šebî* 3,10) weiß, von Geiselnahme und Fesselung der Edlen, vielleicht auch – falls der Passus zum Gedicht gehört[30] – von Grausamkeiten an Kindern[31], aber nichts von Zerstörung. Gleichwohl versteht Nahum die Besetzung als Unterwerfung und Erniedrigung (3,11f). Dieses Vorgehen der Assyrer entspricht wiederum den Prinzipien ihrer Großreichpolitik, und zwar der Unterwerfung fremder Mächte etwa in der ersten Phase.[32] Offenbar blieben in No Amon-Theben auch die Institutionen intakt, wie das Amt des Bürgermeisters und die sakrale Institution der sogenannten Gottesgemahlin.[33]

Dennoch ist anzunehmen, daß die Ereignisse dieser Jahre in Juda und darüber hinaus ihre Wellen schlugen.[34] In jedem Fall müssen die enormen Truppenbewegungen, neben der Erstellung von Söldnerkontingenten, und die Gütertransporte über die *via maris* – etwa der riesigen Obelisken? – doch wohl aufgefallen sein, und nicht nur bei den an der Hauptstraße Wohnenden. Anzunehmen ist, daß die dem Vasallenstaat Juda auferlegten

---

[28] Gefunden zusammen mit Waffen und Werkzeugen im ehemaligen Tempel der Tausret (Six Temples 16ff, Pl. 21). Weitere Spuren der assyrischen Invasion sind offenbar nicht festzustellen, vgl. *Leclant*, Recherches.

[29] Zur Beurteilung vgl. u. a. *Otto*, Ägypten 230; *Hornung*, Grundzüge 124.

[30] Dazu III.

[31] Auf eine Illustration dazu auf einer Reliefamphora aus Mykonos (um 670) macht *Burkert* aufmerksam (Das hunderttorige Theben 18 Anm. 38), unter Verweis auf *K. Schefold*, Frühgriechische Sagenbilder, 1964, T. 34.

[32] *Donner* II 297ff; *Spieckermann*, Juda unter Assur 307ff.

[33] Bürgermeister von Theben blieb offenbar über 663 hinweg Month-em-hat. Die Gottesgemahlinnen, jene Priesterinnen, die vor Amuns „vollkommenem Angesicht das Sistrum" zu spielen hatten, folgten in ununterbrochener Sukzession, vgl. *Kitchen* § 121 (150) u. passim. Aufschlußreich ist die Stele aus Karnak mit dem Bericht von der Einsetzung der Gottesgemahlin Nitokris 656 v. Chr., TUAT I 6 564 *(Kaplony-Heckel)*. Vgl. *Leclant*, Montouemhat.

[34] Vgl. *Burkert*, Das hunderttorige Theben. *Burkert* erörtert die Herkunft und Entstehung der Tradition vom „ägyptischen Theben", die in der Ilias (IX 381ff – gewöhnlich als Interpolation gedeutet) und Odyssee IV 127 (gleichlautend mit IX 382 Ilias: „wo am meisten Besitztümer in den Häusern liegen") ihren Niederschlag gefunden haben. *Burkert* denkt an die Verbreitung der Kunde vom unermeßlichen Reichtum nach den Ereignissen von 663, „dokumentiert durch die Karawane des Beutezuges" (18).

Hilfeleistungen die Hauptstadt und die Landschaft bis zum letzten Weiler zu schweren Opfern zwangen, sei es durch Rekrutierung von Hilfspersonal, sei es durch Lebensmittelabgaben zur Verpflegung der durchziehenden Truppen. Dazu kamen die regulären Tributzahlungen.[35]
Die sich in wenigen Jahren wiederholenden Durchzüge assyrischer Heere seit den Ägyptenfeldzügen Asarhaddons wie auch die sich anschließenden Strafexpeditionen gegen philistäische und phönizische Städte verfehlten jedenfalls ihre Wirkung auf das seit 701 schwer angeschlagene Juda und Jerusalem nicht. Manasse hat während seiner mehr als 50jährigen Regierungszeit keinen Aufstand gegen den Großkönig gewagt und galt als einer der treuesten Vasallen Assurs – gezwungenermaßen. Von einer Opposition gegen diese Politik der Unterwerfung und Anpassung hören wir zu Lebzeiten Manasses nichts.[36] Die deuteronomistische und chronistische Geschichtsschreibung hat ihn am Bild seines Enkels Josia gemessen und deshalb verurteilt (2 Kön 21; 2 Chr 33).[37] Doch, hatte er eine Alternative?
(2) Weniger deutlich greifbar als die dramatischen Kriegsereignisse sind die Alltagsverhältnisse jener Zeit im judäischen Vasallenstaat. Aber sie prägten das Leben jener, die als Adressaten der Dichtungen Nahums in Frage kommen. Von den Lasten der Kriege war schon die Rede. Es ist nicht wahrscheinlich, daß sich die durch die massiven Eingriffe des Jahres 701 zerstörte Infrastruktur des Kleinstaats auch nach der Wiederherstellung seines Territoriums – Juda wird wieder zu Jerusalem geschlagen – schnell erholt hat. Eher ist anzunehmen, daß das seine letzten Kräfte zur Verteidigung des Weltreichs aufbietende Assur das Land auf dem Weg und an der Grenze nach Ägypten völlig ausgesogen und aufgebraucht hat. An der Heerstraße nach Ägypten war in den 70er und 60er Jahren ein einigermaßen geordnetes staatliches Eigenleben wohl kaum möglich. Zwischen den Provinzen *Samerina* und *Dûru* und dem Kriegsschauplatz in Ägypten gab es in jenen Jahren nur eine omnipräsente und omnipotente Macht. Das Bild von dem alles verzehrenden Heuschreckenschwarm, das Nahum im Blick auf die Funktionäre und Agenten[38] jenes Regimes geprägt hat (3,16ff), ist Ausdruck dieser „kolonialen Situation". Die zehn Minen Silber von den Bewohnern Judas (*^{mat} Ja-ú-da-a-a*), welche der assyrische Hof auf einem nur fragmentarisch erhaltenen, vom Anfang des

[35] Näheres z. B. bei *Spieckermann*, Juda unter Assur 307ff.
[36] Vgl. *Malamat*, Historical Background 26ff.
[37] *Spieckermann*, a.a.O. 160ff, vgl. *Ehrlich*, Aufenthalt.
[38] Die Agententätigkeit ist beschrieben etwa bei *Spieckermann*, a.a.O. 307ff.

7. Jahrhunderts stammenden Dokument quittiert hat, mußten erst beschafft sein.[39]

Ein grelles Licht auf die gespannte Situation wirft eine inschriftlich von Assurbanipal bezeugte Episode aus jenen Jahren:

„Auf meinem Rückmarsch[40] eroberte ich Ušu[41], das an der Küste des Meeres gelegen ist. Die Einwohner von Ušu, die ihren Statthaltern nicht gefügig waren und keine Abgabe lieferten als jährliche Schenkung, tötete ich. Unter den unbotmäßigen Einwohnern hielt ich ein Strafgericht ab. Ihre Götter und ihre Einwohner schleppte ich nach Assyrien.

Die unbotmäßigen Einwohner von Akko tötete ich. Ihre Leichen hängte ich an Stangen rings um die Stadt. Die Übriggebliebenen nahm ich mit nach Assyrien, vereinigte sie zu einer Heeresabteilung und fügte sie zu meinen zahlreichen Truppen, die Assur mir geschenkt hat, hinzu."[42]

Solche Schauprozesse und Hinrichtungen, Verschleppungen und Zwangsrekrutierungen wie diese im Gesichtskreis Judas in Tyrus und Akko sind typisch für den Terror, mit welchem Assyrien sein Regime aufrecht hielt. Zugleich kann der Vorgang zeigen, welches Geschick einem Dichter oder Sänger subversiver Verse drohte. In diesem Klima von Angst und Schrekken, Erpressung und Ausbeutung muß man sich Nahums Gedichte entstanden denken.

(3) Die assyrische Zeit war die Zeit einer religiösen Krise in Juda.[43] Wohl weniger durch Einflüsse fremdreligiöser Art aus dem Zweitstromland ausgelöst als vielmehr durch die seit der Königszeit schwelende Auseinandersetzung mit den Formen der bodenständigen kanaanäischen Religion und den Versuchungen einer synkretistischen Lösung, kam es im Verlauf des 7. Jahrhunderts zu einer schweren Gefährdung des Jahwismus. Verschärft wurde die Krise sicher noch durch die Zerrüttung des Sozialgefüges, die unruhige Mobilität auf den Durchgangsstraßen, die Zerstörung der Dorfgemeinschaften durch Garnisonen, durch Aushebungen etc. Es war keine Zeit für theologische Entwürfe, für Festliturgien und für weisheitliche Schulbildung. Allem Anschein nach war es eine Zeit der Improvisation, des Kontinuitätsverlusts, der Identitätskrise. Im Blick auf die Glaubenstradition wird man von einer Säkularisierung sprechen müssen. Lebensform und Sprachstil waren vom Militarismus und Kolonialis-

---

[39] Nach ANET 301.

[40] Scil. vom Araberfeldzug.

[41] Stadtteil von Tyrus auf dem Festland.

[42] Zylinder A IX 115–128, nach TUAT 401 *(Borger)*.

[43] Vgl. *Donner* II 329ff (Lit. 330 Anm. 2).

mus geprägt. Das Erbe des Jahweglaubens geriet unter die Räder der Kriegsmaschinerie.
Kann es überraschen, daß aus jener Zeit datierbar kaum ein alttestamentliches Zeugnis überliefert ist? Ist es Zufall, daß Nahum in seinen Liedern und Gedichten kein theologisches Wort – offenbar nicht einmal den Gottesnamen JHWH – verwendet hat? Ist es verwunderlich, daß aus seinen Dichtungen Landsknechtmentalität spricht?

3. Dies führt schließlich zu der Frage nach der *Funktion der Dichtungen* Nahums im skizzierten situativen Zusammenhang. Nach der wohl älteren Überschrift in 1,1 werden diese als *maśśāʾ Nînᵉwê* bezeichnet, mit einem Begriff, von dem man sich Aufschluß über Zweck und Ziel erhofft. *maśśāʾ* ist mit Wahrscheinlichkeit nicht von der allgemeinen Bedeutung des Verbums *nśʾ* ‚tragen', ‚heben' her zu verstehen (als ‚Last' o. ä.), vielmehr als Terminus technicus von der speziellen Wendung *nśʾ ql* etc. ‚die Stimme erheben'[44] abzuleiten.[45] Die Spezialisierung weist darauf hin, daß Beziehungen zu dem besonderen Einsatz der Stimme und des Wortes bestehen, welche im Kontext magischer und mantischer Praktiken erforderlich war. Inwieweit dem in der prophetischen Literatur vorkommenden Begriff dieser „Erdenrest" aus dem Wurzelbereich noch anhaftet, ist schwer zu sagen. Drei Verwendungsfelder lassen sich feststellen:
(a) ein besonders in der jesajanischen Tradition auftretender Gebrauch zur Bezeichnung von Prophetensprüchen an/über fremde Völker;[46]
(b) eine aufschlußreiche Diskussion in der Überlieferung des Buches Jeremia über die legitime Verwendung des Begriffs in der Prophetie (Jer 23,33 ff);[47]
(c) eine redaktionelle Verwendung in den Überschriften der Prophetenbücher.[48]
Verwendung (a) mit genanntem Adressat bei Einzelsprüchen und Verwendung (c) mit Titelangaben bei Prophetenbüchern stehen in einer Linie: (c) charakterisiert Inhalte von Büchern *a parte potiori* von Einzelworten her. Die Diskussion (b) gibt Einblick in die Verwendungspraxis noch der Jeremia-Zeit (7./6. Jahrhundert).[49] Offenbar wird dort die Verwendung

[44] HAL 604.
[45] *Keller* denkt an eine Ableitung von *nāśîʾ* ‚Sprecher' (?) (108; 144).
[46] 11mal bei Jes (13,1; 14,28; 15,1; 17,1; 19,1; 21,1.11.13; 22,1; 23,1; 30,6).
[47] Vgl. *Rudolph*, Jeremia 143 ff; *McKane*, *mśʾ* 35 ff; *Holladay*, Jeremiah 647 ff.
[48] Nah 1,1; Hab 1,1; Sach 9,1; 12,1; Mal 1,1.
[49] Nach Klgl 2,14 sind *mśʾwt* Aufgabe der Propheten *(nbjʾjm)* und werden von ihnen „erschaut" *(ḥzh)*. Vgl. auch 2 Kön 9,25; Ez 12,10.

des Terminus im tradierten Sinn von „Orakel" in Frage gestellt, was auf einen bereits festen Spachgebrauch schließen läßt. Im Kontext des Jeremia-Buches scheint das eher auf zeitgenössische Formen einer angemaßten „Stimmerhebung" als auf die althergebrachten Prophetenworte gemünzt zu sein.

Die Verwendung des Begriffs in Nah 1,1 ist zunächst buchtechnischer Art (c). Verstanden jedoch als ältere Überschrift zu den Nahum-Gedichten im einzelnen – zu 3,2; 2,2ff oder 2,14ff – wäre möglicherweise die herkömmliche als ‚Orakel' (a) anzunehmen. Vom Konflikt (b) bleibt die Nahum-Überlieferung offenbar verschont.[50]

Im Kontext älterer *mś'*-Ausrufungen, etwa eines Jesaja im 8. Jahrhundert gegen die Philister, Moab, Damaskus, Ägypten, „In der Wüste...", Duma, „In der Steppe", „Im Schautal", Tyros etc.,[51] ist dann auch Nahums Dichtung aus dem mittleren 7. Jahrhundert anzusiedeln. Allerdings haben sie eine neue Adresse: Ninive. Diese „Aussprüche" sind als Teil der sogenannten Völkerorakel der Propheten anzusehen. Der Form nach poetisch, sind sie ihrem Anspruch nach Beiträge zur Einschätzung und Behandlung benachbarter Völker und Staaten. Insofern bilden sie wohl so etwas wie politische Voten, vorgetragen – die Wurzel in der Mantik wird wieder sichtbar – in der tradierten Art und Weise des Seherworts und Orakelspruchs.[52] Ursprünglich offenbar unmittelbar an die Adressaten gerichtet, werden diese Ausrufungen zunehmend zu Aussagen an die Zeugen und Hörer aus dem eigenen Umkreis. Die aufkommende Distanz zum Orakel bei den Schriftpropheten zeigt, daß sie diese Redeform zunächst geliehen und sich erst sekundär zu eigen gemacht haben.

Durch den Gebrauch des Weheworts (3,1) stellt sich Nahum aber ebenfalls in die prophetische Tradition, genauer in die Tradition des Weherufs gegen fremde Völker,[53] d. h. wiederum offensichtlich in die Nachfolge Jesajas. Es gibt nur wenige Weherufe gegen Assur in der prophetischen Überlieferung: Jes 10,5 (17,12); Nah 3,1; Zef 2,5.14?.[54] Sie bilden den Kern der nicht viel größeren Gruppe der Völkerorakel, die an Assur oder Ninive gerichtet sind. Man kann aus dieser Tatsache zunächst auf eine

---

[50] Vgl. meine Auslegung ZBK.

[51] Die Echtheit ist im einzelnen umstritten, kann aber wohl nicht für alle bezweifelt werden.

[52] Vgl. die Bileamorakel Num 22 – 24, dazu meine Studie: Herrscherbild.

[53] Dazu *Jenni, hōj* wehe (THAT I 474ff) und *Zobel, hôj* (ThWAT II 382ff, bes. 387).

[54] Ebda.

gewisse Sprachlosigkeit schließen, welche die Depression der assyrischen Zeit verursacht hat. Allein der aus der Totenklage stammende Aufschrei schien angesichts der verbrannten Erde und der Totenfelder noch verfügbar. Doch immerhin wird der Aufschrei bei den Propheten zum Instrument ihrer Verkündigung und richtet sich gegen Assur und Ninive.
Jesajas Assur-Worte in 10,5ff[55] entsprangen offenbar der Überzeugung, daß die Assyrer die ihnen zugeteilte Rolle als „Zornkeule" *(šbṭ 'pj)* mißbraucht haben. Zwar von JHWH hergepfiffen wie eine Wespe (7,18) und herbeigelenkt wie Wasser in einem Kanal (8,5ff), haben sie wegen ihrer Selbstherrlichkeit ihr Daseinsrecht verwirkt. Ein Wehe muß ihnen entgegengeschleudert werden (10,5). Denn:

„Rühmt sich auch die Axt gegen den, der damit haut?
Oder brüstet sich die Säge gegen den, der sie zieht?
Wie wenn der Stock den, der ihn aufhebt, schwänge,
(wie wenn der Stecken den aufhöbe, der nicht Holz ist)" (10,13ff).[56]

Offenbar erst Nahum war es dann wieder, der es wagte, den Weheruf gegen Ninive zu schleudern (3,1) und überhaupt *mś'*-Worte gegen Assur zu verkündigen. Dazwischen liegen knapp 50 Jahre. Die „Last" der assyrischen Realität lähmt die prophetische Rede.
Die Karikatur von Ninives Untergang, die Zefanja in 2,13ff entwirft,[57] zeigt sich schon befreit vom Druck der assyrischen Gefahr. Sie kommentiert den Fall und macht ihn zum Paradigma einer verfluchten Stadt. Damit beschämt sie alle Assurhörigen, Freunde wie Feinde, als Angsthasen, die vor einem Ninive erstarren, aus dem nur das Geblök der Herden, Vogelgesang und Rabengekrächz zu hören ist. Wollte Zefanjas groteskes Orakel Joschijas Emanzipationspolitik unterstützen? Oder schwingt Kritik an denen mit, die erst dann begannen mutig zu werden, als die Vögel schon Ninives desolaten Zustand „von allen Dächern" pfiffen?
Mut, indes, bewies Nahum, der politische Dichter und Sänger. Er hatte eine Vision *(ḥzwn)*, eine Utopie. Er sah – wie er dazu kam, wissen wir nicht – frühzeitig, daß es Ninive ergehen würde wie No Amon. Diese Schau verbreitet er als *mś'*, als Orakelspruch für seine Zeitgenossen, als

[55] Zu Jes 10,5ff vgl. besonders *Kaiser*, Jesaja I 218ff: „literarische Prophetie". Doch scheinen mir einzelne Elemente des „Gedichts" wie V. 5 oder V. 15 von jesajanischer Herkunft zu sein.

[56] Übersetzung Zürcher Bibel. Die Assur-Orakel Jes 14,24–27 und 17,12–14 scheinen sekundäre Explikationen jener Einsicht über Rolle und Geschick Assurs zu sein, die wohl erst post festum entstanden sind. Vgl. *Kaiser* 40ff; 70ff.

[57] Vgl. meine Studien: Bildmotive; Satirische Prophetie z. St.

Seherwort. Er tat das so, daß er es in Formen kleidete, die eine Verbreitung sicherstellten. Er verfaßte eine Weheruf-Parole und Soldatengesänge (oder jedenfalls etwas ähnliches). Als Person trat er notgedrungen zurück. Er ließ die Worte für sich wirken.[58] Wen wollte er damit erreichen? Doch wohl seine Assur-müden oder Assur-begeisterten Zeitgenossen. Was wollte er damit bewirken? Alles, was man dazu sagen kann, ist, daß er Distanz schaffen wollte zur Zwangslage der Gegenwart, daß er Perspektiven öffnen wollte in einer hektischen Zeit, daß er an die Geschichte und ihre Gesetze erinnern wollte, denen auch Ninive nicht entkommen kann. Thebens Fall ist ein Zeichen. Wer es betrachtet, kann erkennen, daß es ein typisches Zeichen ist. Ist nicht Ninive auch ein „Theben"? Gibt es nicht ein Gesetz vom Fall der Großstädte? Werden sie nicht auch wie Einzelmenschen beurteilt und behandelt (3,1.4a)? Eine solche Sicht bedarf der Intuition – der Intuition eines Propheten.[59]

[58] In diesem Punkt könnte sich die hier erwogene Söldner-Auffassung mit der Briefhypothese *van der Woudes* treffen – jedoch bezogen auf die echten Nahum-Texte und nicht auf das Buch.

[59] Zur Symbolbedeutung Thebens und Ninives s. u. VIII und IX.

V. Zwischentexte

1. Die *Buchüberschrift 1,1*, die deutlich aus zwei Teilen besteht, ist in ihrem ersten, wohl älteren Teil: „Ausspruch (gegen) Ninive" (V. 1a) weder auf 1,2ff noch auf 1,12ff zu beziehen. Denn „Völkerorakel" im technischen Sinn dieser Überschrift – wie in Jes 13ff – liegen hier nicht vor. Man könnte zunächst an 2,2ff denken – sachlich sicher zu Recht: 2,2ff gehört zur Ninive-Sammlung in Kap. 2f. Doch es fehlt der explizite Anfang, denn 2,2 springt in die Szene hinein – nach Art „großer Dichter" *(C. A. Keller)*[1] – bietet aber keinen Anhaltspunkt – wir vermuten den Eingang ja auch in 3,2f. Das führt nun zu der Annahme – wie gezeigt[2] –, einen älteren Anfangspunkt in 2,14 zu vermuten, der aus überlieferungsinternen Gründen umgestellt worden ist, wobei das Motiv Löwengleichnis (2,13) assoziierend gewirkt haben muß. Jedenfalls legt es sich nahe, die erste Sammlung und Herausgabe von Nahum-Worten unter der Überschrift 1,1a mit 2,14 – 3,7 beginnend anzusehen, worauf dann 2,2.4–13; 3,8–19 folgen würden. Insofern eignet dem Komplex 2,14ff eine Spitzenstellung, die erste redaktionelle Absichten erkennen läßt.

2. *2,14 – 3,7* ist ein Konglomerat, teils absichtlich, teils unabsichtlich zusammengekommen unter dem Stichwort der ersten Überschrift. Man erkennt das Wehewort 3,1.4a, als Schale um den Kern 3,2f, der Leitstrophe des Szenengedichts, gelegt. Man erkennt weiter einen äußeren Ring zweier formal sich entsprechender Teilstücke eines Gerichtswortes, an welchem ein Zusatz hängt (3,7), der wiederum mit 3,19 eine Inclusio bildet. Die Rahmentexte 2,14; 3,5f sowie 3,7; 3,19 gehen auf das Konto der Tradenten und ersten (?) Herausgeber der Ninive-Sammlung. Man könnte daran denken, beide auf verschiedene Hände zurückzuführen. Doch kann dazu nichts Definitives gesagt werden.
Deutlich ist, daß die Verse des ersten Ringes 2,14; 3,5f sich nach Umfang und Form genau entsprechen. Sie beginnen beide mit traditionellen Formeln prophetischer Überlieferung, der sogenannten Herausforderungsformel *(P. Humbert)*[3] und der durch ein Epitheton erweiterten Gottesspruchformel: „Spruch JHWHs der Heere". Beide geben betont zu erkennen, daß eine „theologische" Rede in jedem Sinne des Wortes

---

[1] 120.
[2] Vgl. II.3 – mit den genannten Einschränkungen.
[3] *Humbert*, Herausforderungsformel 44ff (101ff).

geboten wird, eine Absicht, die zu dem vorhergehenden Gedichtstext Nahums in starkem Kontrast steht. So zeigt sich, daß diese Verse bewußt „theologisieren“, dem bis anhin (auf dieser Stufe) vermißten Gotteswort zum Durchbruch verhelfen, beziehungsweise gleich zu Anfang deutliche theologische Vorzeichen setzen wollen. JHWH, der Herr „der Heere“ selbst ist es, der kundgibt, daß er gegen Ninive intervenieren werde. Auch wendet er sich mittels dieses Wortes direkt an die betroffene Stadt. Er kündigt ihr sein Strafgericht an. Daß man sich hierbei auf einer Interpretationsebene befindet, welche theologische Kategorien und Deutungsschemata einsetzt, sieht man auch daran, daß die beiden gleich gebauten Strophen je ein Motiv aus den Nahum-Dichtungen aufgreifen und zur Allegorie des Gedichts ausstilisieren. Die erste Strophe, textlich etwas gestört,[4] verwendet das Motiv „Löwenhöhle“ aus 2,12f, um daran Gottes Eingreifen zu verdeutlichen. Die zweite wählt das Motiv „Dirne“ aus dem Wehewort 3,4, um sehr drastisch die Erniedrigung der Weltstadt zu demonstrieren. Gehalten im typischen Konsekutivstil der Zukunftsansage, suchen sie Nahums Gedichte auf die Linie einer Gottesverheißung zu bringen, theologisch zu zentrieren und – das läßt auf ein Datum post eventum schließen – zu korrigieren: Vom Brand war 2,2ff und 3,8ff keine Rede. Abgetrennt von ihrem Referenztext – den sie sich im überlieferten Letztbestand wieder angegliedert haben – lauten jene theologisch vermittelnden Verse der frühen Editoren:

2,14 „Siehe, ich will an dich – Spruch JHWHs der Heere –,
und ich will in Rauch verbrennen dein ‚Versteck‘,
und deine Junglöwen soll das Schwert fressen,
und ich tilge aus dem Lande deine Beute,
und nicht soll mehr gehört werden deiner ‚Löwen‘ Stimme.
3,5 Siehe, ich will an dich – Spruch JHWHs der Heere –
und will dir die Schleppen übers Gesicht hochziehen,
und will Völker deine Blöße sehen lassen
(und Königreiche deine Scham),[5]
3,6 und will auf dich Unrat[6] werfen,
und will dich schänden und zur Schau stellen.“

3. Die Verse des äußeren Rings *3,7* und *3,19* bieten einige prosaisch gehaltene Nachsätze zum Untergang Ninives. Ihre Bezogenheit ergibt

[4] Zu lesen ist *sbkk* „dein Versteck“, statt *rkbh* „ihr Wagen“, oder *rbkh* „dein Reichtum“ (vgl. LXX, Syr); *mlb'jkh* „von deinen Löwinnen“, statt *ml'kkh* „deine Geschäfte“ (LXX [Syr] τὰ ἔργα σου). *lbj(')* hier wohl m.

[5] Überzählige Halbzeile, synonymer Parallelismus.

[6] *šqṣim* (pl).

sich aus der Entsprechung, daß V. 7 vom Augen-, V. 19 vom Ohrenzeugen der Katastrophe spricht, die ihresgleichen nicht hat. Der Untergang vollzieht sich unter der Schadenfreude und dem Beifall aller Betroffenen. Die Völkerzeugen deuten so auf ihre Weise die Weltgeschichte als das Weltgericht und preisen – ohne es zu wissen – die Gerechtigkeit Gottes. Beide Nachsätze haben so die Funktion einer geheimen Doxologie. Mit ganz unliturgischen, unrhythmischen, mit ganz profanen Worten sprechen sie ihr „Amen“ und *bârūk JHWH.* Die Verfasser dieser Nachworte bleiben so – bewußt oder unbewußt – auf der Stilebene Nahums, auch wenn im gegebenen Rahmen diese Worte nunmehr als Gottesworte eingeführt sind:

3,7 „Und jeder, der dich sieht, wird sich vor dir entsetzen und sprechen: ‚Verwüstet ist Ninive! Wer beklagt es? Wo soll ich Tröster suchen für dich?‘“

3,19 „Jeder, der die Kunde von dir[7] hört, klatscht in die Hände. Denn über wen ist dein Unheil nicht ständig hinweggegangen?“

4. Die Frage nach dem Anfang des „Buches der Schauung Nahums“ *(1,1)* läßt den Blick auf 1,12 richten. Der Eingangshymnus ist keine „Schauung“ oder jedenfalls so sehr oder so wenig wie Hab 3 in seinen hymnischen Teilen. Ohnehin kommt ja doch wohl nur ein nachexilisches Datum in Frage. Den Anfang auf 1,11 anzusetzen, ist wegen der fehlenden Referenzgröße (2. Person femininum) nicht ratsam; für 1,9, wäre es auf 1,11 zu beziehen, gilt das Gleiche. Wer redet? Wer ist angeredet? Bleibt eigentlich nur die Zäsur, die die Botenformel in 1,12 setzt. Hier beginnt prophetische Redeform: die eröffnende Verheißung des „Nie mehr“ wird zum Gleichnis vom Zerbrechen des Jochs (1,13) und zur Vision des Friedensboten (2,1). Das ist, was *ḥāzôn* meinen könnte und in Folge dann die „echten“ Weissagungen Nahums, welche, wohl zunächst mit „Ausspruch über Ninive“ überschrieben, jetzt den zweiten Teil des „Buches“ füllen.

Es ist wahrscheinlich, daß es nach der mit 2,14ff beginnenden Sammlung eine solche selbständige Schrift, Nah 1,1; 1,12 – 3,19 umfassend, einmal gegeben hat. Dieser Komplex hat ja sein erstaunlich einheitliches Thema darin, daß der Untergang des assyrischen Reiches auf JHWHs Intervention zurückgeführt wird, der als JHWH der Heere Ninive direkt angehen (3,14ff) und sein Joch brechen (1,12f) wollte, um Juda Frieden zu schaffen (2,1). Dies ist Geschichte, bleibt aber als solche Paradigma für

[7] MT punktiert m. und bezieht es auf den assyrischen König von 3,18.

Gottes eingreifendes Handeln, auch exilisch und später aktuell. Dies ist aber auch eingelöste Verheißung, insofern in Nahums Dichtungen das Geschehene vorweggenommen war und so als Zeugnis für Gottes weitreichende und heilvolle Pläne dokumentiert ist. Nahums profane Dichtungen, als echte und erfüllte Weissagungen, waren den exilischen Tradenten diese Dokumentation „Wort und Ereignis" wert, wobei das historisch belehrende, auf Vergangenheit auch der Erfüllung (Zeit Joschijas 2,3?) zurückblickende Interesse die aktualisierende Tendenz des Zuspruchs (1,12f) überdeckt.

5. In *Nah 1,12* begegnet zum ersten Mal im Buch eine prophetische Formel. Ausgehend von der grundsätzlich einführenden Funktion der Botenspruchformel: „So spricht JHWH" – sei es auf der Ebene prophetischer Niederschrift oder redaktionellen Arrangements –, hat man zu fragen, was denn als das angekündigte Botenwort zu gelten hat. Hier steht nun ein schweres Textproblem im Wege insofern, als die auf die Einführung folgenden Worte in 1,12aβ in der überlieferten Form im Kontext völlig unverständlich sind, wovon ja auch die alten Versionen und die modernen Übertragungen beredt Zeugnis ablegen.[8]
Wir schlagen darum vor – was dann Thema von Kapitel VII sein wird –, die Zeile 1,12aβ zunächst aus dem Zusammenhang von 1,12f zu nehmen und aus der Beziehung zu 1,2ff zu interpretieren. Die prophetische Einheit würde dann inhaltlich mit 1,12b einsetzen,[9] eine Zeile, die ja mit ihrem Anredecharakter und ihrer Aussagekonsistenz durchaus verständlich ist:

> „Ich habe dich gebeugt –
> ich werde dich nicht länger beugen."

Diese Zeile, deren poetische Prägung in Rhythmus (Dreier oder Doppelzweier) und Intonation (ʾʿ-Alliteration, *ʿn* beziehungsweise *ʿt/d* Silbenspiel) deutlich ist, richtet sich in Feststellung (Perfekt) und Zusage (Imperfekt) an eine feminine Adresse, die in 1,13 sogleich als Gruppe und

---

[8] Der Passus wird beispielsweise übersetzt von:
Gaster (Notes 51f): „si de grandes eaux jaillissent, elles se perdront et elles disparaîtront";
Rudolph (158f): „‚Wenn sie (auch wieder) voll auf der Höhe und ebenso zahlreich sind, so müssen sie ebenso Haare lassen und <verschwinden>'";
Keller (116): „Si intacts et nombreux qu'ils soient ils seront fauchés, ils disparaîtront!"

[9] *wʾʿntk* „[und] ich beuge dich", zu *w*-cop. bzw. cons. s. auch unten VI Anm. 7.

kollektive Größe erkennbar wird. Auf ihr liegt das Joch[10] eines nichtgenannten Dritten, das „jetzt" zerbrochen wird. Insofern ist Vergangenheit und Gegenwart noch gezeichnet durch Unterjochung und Fesselung, ein Zustand, der nunmehr beendet werden soll. Die Rede ist – obwohl der Dritte ungenannt bleibt – doch wohl von drückender Fremdherrschaft, wobei bemerkenswert ist, daß das Joch und die Fesseln des Unterdrückers durchaus als Instrument (auch) des handelnden Gottes angesehen werden. Der Vers trägt das Gepräge eines Parallelismus und alliterative Züge zudem (*ʿ/ʾ*). Er muß zu der in 1,12 beginnenden Einheit gehören. Hingegen wechselt in 1,14 abrupt der Adressat. Zu Recht punktiert die masoretische Tradition 2. Person masculinum. Daß nunmehr der Fremdherrscher selbst angesprochen wird, wäre naheliegend anzunehmen und vielleicht auch im Sinne der Herausgeber des Buches. Dennoch macht es der Übergang zur Rede von JHWH in der 3. Person sowie der Inhalt der Aussage unmöglich, in 1,14 die Fortsetzung von 1,13 zu sehen. Denn welcher Herrscher oder Unterdrücker kann gemeint sein? Ein assyrischer oder babylonischer Großkönig oder ein einheimischer Tyrann oder Gouverneur? Weshalb wird er verflucht, ausgestoßen, exkommuniziert („aus dem Hause seines Gottes"), in Schande begraben? Hat er nicht mit Willen und als Werkzeug JHWHs gehandelt (1,12)? Es ist weit wahrscheinlicher, daß sich 1,14 auf jenen anderen Mann bezieht, dem nach 1,11 antijahwistische Machenschaften (Belijaal-Anklage) vorgeworfen werden, was doch wohl (wie 1,14 als Strafe) weniger gut auf einen Fremdherrscher, einheimischen Unterdrücker oder ähnliches, als vielmehr auf einen einzelnen individuellen Apostaten paßt.

Erst 2,1, doch da deutlich, finden wir den Faden von 1,12f wieder: JHWH-Rede, die feminine Adresse – und nun fällt auch der Name: Juda ist es, das angesprochen ist, ihm gilt die Zusage von 1,12, und sie wird erneuert und konkretisiert:

2,1 „Sieh, auf den Bergen (die Füße des)[11]
(der) Freudenbote(n), Frieden kündend.
Feiere deine Feste (wieder), Juda,
erfülle deine Gelübde.
Denn er wird nicht weiter mehr
an dir vorüberziehen (Belijaal)[12] ..."

[10] Nach MT. Die Korrektur zu *mṭh* „Stock" ist unnötig.
[11] Wohl Zusatz aus Jes 52,7.
[12] S. u. V. 6.

Wann gab es eine Zeit, da Juda solches verkündet werden konnte? Wann stand der Friede wahrnehmbar vor der Tür Judas in der fraglichen Zeit? Man könnte an die Zeit Joschijas denken, an den Niedergang der assyrischen Herrschaft und der Aufbruchstimmung um 612. Denkbar ist aber auch die spätexilische Zeit, da man auf den persischen Frieden hoffen konnte. Die Nennung nur Judas allein (ohne Jerusalem), die unpolitische Atmosphäre von 2,1, die Hoffnung auf Verschonung und nicht Restauration, die sprachlichen Anklänge an Deuterojesaja und seine Verkündigung (Jes 40; 52),[13] die Erwartung der Wiedereröffnung des offiziellen Festkults (Wallfahrtsfeste, Gelübdeopfer) deuten doch wohl eher auf jene zweite Möglichkeit. Dann wäre 1,12f; 2,1 Ausdruck spätexilischer Hoffnungspredigt. Doch ist es natürlich nicht ganz auszuschließen, daß die späteren Tradenten mit ihrer Kontextanordnung dies auf das von Nahum angekündigte Ende aller assyrischen Gewaltherrschaft unter Einschluß des assyrischen Großkönigs bezogen wissen wollten. Nur dann wäre einigermaßen verständlich, weshalb die Texte derart ineinander verschränkt worden und geblieben sind:

1,11 | 1,12f | 1,14 | 2,1 | 2,2 | 2,3 | 2,4 . . .

Der Vers 2,3 gehört wohl ursprünglich in denselben Zusammenhang (1,12f; 2,1). Dann spricht er von JHWH in der 3. Person wie der Friedensbote, auch macht er mit seinem doppelten *kî* den Eindruck eines interpretierenden Nachtrags, der ein erklärendes Zitat

„Verwüster haben sie verwüstet und ihre Ranken vernichtet" (3b)

hinzufügen möchte. Woher dieses stammt, ist unklar.[14] Dem rhythmischen Gepräge nach könnte es mit den Nahum-Versen verwandt sein (2+2, Alliteration). Entsprechend unsicher ist die Bedeutung. Der verbindende Prosavers (3a) bleibt ähnlich dunkel. Wörtlich kann er heißen: „JHWH wird (auch) (oder: hat)[15] die Hoheit (oder: den Weinstock?)[16] Jakobs wiederherstellen wie die Hoheit (oder: den Weinstock?) Israels." Wer ist Jakob, wer Israel? Ist Israel = Juda, Jakob = das Nordreich?[17]

---

[13] Dazu zusammenfassend *Coggins*, Alternative tradition 82ff.

[14] Vergleichbar wäre Ps 80,9ff.

[15] Part.qal.

[16] *gpn* ‚Weinstock' wird von V. 3b her konjiziert. Doch ist die Korrektur zumindest fraglich.

[17] Für *van der Woude* ist 2,3 ein wichtiger Beleg dafür, daß Nahum auch von den

Bezieht sich das im Sinne der Tradenten auf Joschijas Restaurationspolitik, die ja dann auch auf das Territorium des ehemaligen Nordreichs ausgriff? Letzteres klingt nicht ganz unwahrscheinlich. Dann wären die Verwüster doch wohl die Assyrer, welche dem Nordstaat ein Ende bereitet und den „Weinstock" Samarias und seine Ranken vernichtet hatten. 2,3 könnte eine Reminiszenz an die joschijanische Zeit sein und die Hoffnung auf Restauration auch des „Weinstocks Jakob" dem Friedensboten in den Mund legen. Ungeklärt bleibt aber, weshalb hier als Gegenüber Jakobs nicht Juda (wie 2,1), sondern Israel genannt ist. Letzterer Umstand warnt vor einer allzu engen Angliederung von 2,3 an 2,1. Sicher ist indes, daß es sich im jetzigen Text um eine Erklärung zu 2,2 handelt. „Ja, JHWH kehrt zurück mit dem Stolz Jakobs – wie der Stolz Israels ..." Diese Aussage deutet den dort geschilderten Aufstieg auf die Heimkehr Gottes mit dem Stolz Jakobs, das ist: den (Nordreich-?)Exulanten. Der Zusatz versucht wohl zu vermitteln zwischen „Jakob" und „Israel". Vielleicht kam er auch aus diesem Grunde an seinen Platz mitten im Szenengedicht. Doch der Kontext dieses Gedichts läßt eine solche Beziehung als zumindest sekundär ansehen.

6. Aus dem Geröll der Verse 1,10ff passen zwei Teile an den Bruchstellen zueinander.[18] Es sind *1,11* und *1,14*.

> „Aus dir ist hervorgegangen einer, der Böses
> wider JHWH plant, ein Ratgeber Belijaals ...[19]
> Und JHWH hat über dich verfügt:
> Nicht soll deines Namens mehr gedacht werden![20]
> Aus dem Hause deines Gottes schließe ich (dich) aus!
> Schnitzbild und Gußbild lege ich (in) dein Grab,
> denn du bist verächtlich geworden."[21]

Nordstämmen spricht und deren Restauration erwartet: „The prophet expects the return of the exiles (scil. von 722) in near future". Den Vergleich mit „Israel" hält er für eine spätere Zufügung. Auch liest er *z^emorîm* nicht als „shoots" („Ranken"), sondern als „soldiers" („Soldaten") – von ug. *dmr* abgeleitet (Letter 115ff).

[18] Dazu VII und meine Studie: Vormasoretische Randnotizen II, IV.

[19] Nach *Maag* handelt es sich bei ‚Belijaal' ursprünglich um einen politischen Begriff, der ein anarchisches Handeln denunziert. Im „Jahwismus" wurde er dann zu einer „religiösen" Kategorie, welche ein die sakralen Ordnungen störendes und negierendes Verhalten brandmarkt. In beiden Zusammenhängen hat er die Funktion eines „Schimpfworts". Vgl. *Maag*, Belijaal 287ff (221ff).

[20] MT: „nicht mehr soll gesät werden". Doch ist *jzrʿ* in *jzkr* zu korrigieren.

[21] *qll* qal ‚gering sein', HAL 1030f.

Und zwar verbindet beide nicht nur der durchgehende Prosastil, sondern auch das gemeinsame Subjekt einer Einzelperson – 1,11 *jo*^{c}*eṣ b*^{e}*lijjā*^{c}*al* genannt, 1,14 als 2. Person masculinum angesprochen –, im Unterschied zu der im Kontext dominierenden 3. Person femininum einer Kollektivgröße, und vor allem die offensichtlich in beiden Versen vorausgesetzte Situation. 1,11 ist eine nicht genannte Größe 2. Person femininum (Stadt, Dorf, Gruppe?) angeredet, die beschuldigt wird, daß aus ihr ein Ketzer, Apostat oder JHWH-Feind hervorggangen sei, dem jene oben zitierte Prädikation eines teuflischen Ratgebers zuteil wird – eine Bezeichnung, welche sogleich an die Szenerie des in Dtn 13,14ff geschilderten Falls erinnert. „Wenn in einer Stadt *'anāšīm b*^{e}*nē b*^{e}*līja*^{c}*al* ihre Mitbürger zu Götzendienst verführen *(hiddī*^{a}*ḥ)*, so soll über der Stadt der *ḥæræm* verhängt werden (16ff)" *(V. Maag)*. Das Schicksal des Schuldigen ist damit besiegelt. Wie der zum Abfall aufrufende „Prophet oder Träumer" soll er getötet werden. „So sollst du das Böse aus deiner Mitte tilgen" (Dtn 13,1.6). Nach Dtn 13 wird die Gemeinschaft für das Auftreten eines solchen Glaubensfeinds verantwortlich gemacht. Es sieht so aus, als ob dies auch für Nah 1,11.14 zutreffe.[22] Demnach wäre 1,14 als Urteil über jenen Ketzer und Verführer[23] aufzufassen, der im Namen des Gebotes JHWHs aus der Gemeinde ausgestoßen, verfemt, vielleicht hingerichtet, jedenfalls schimpflich beerdigt werden soll.

Aus den einzelnen Angaben könnte man *via ius talionis* etwa schließen, daß der gegen JHWH gerichtete böse Plan mit einem Grabmal zusammenhängt und den Götterbildern und Idolen, welche nunmehr dem Bösewicht ins Grab mitgegeben werden sollen. Wollte er sich auf ungewöhnliche und für den JHWH-Glauben problematische Art und Weise verewigen? Wollte er den Toten- oder Ahnenkult[24] einführen oder für sich vorbereiten? Er bezahlt jedenfalls mit Exkommunikation und wohl Exekution. Das Urteil ist in 1,14 niedergelegt.[25]

Aus diesen Erwägungen geht hervor, daß wir es für nicht tunlich ansehen, die Verse 1,11.14 auf einen assyrischen Herrscher zu beziehen. Vorwürfe der genannten Art könnten ihm doch wohl vernünftigerweise nicht gemacht werden, geschweige denn eine derartige Verurteilung vollzogen

---

[22] Anklage, Belijaal-Kategorie, Kollektivschuld, Todesurteil, „Ausrottung des Namens", ehrloses Begräbnis – entsprechen sich hier wie dort ziemlich genau. Zitat: *Maag* 289.

[23] Vgl. auch die Belijaal-Stellen 1 Sam 2,12ff; Spr 6,12ff.

[24] Zu etwaigen Beziehungen des Begriffs *blj*^{c}*l* zu Unterweltvorstellungen vgl. *Emerton*, Sheol.

[25] Zu *blj*^{c}*l* in 2,1 vgl. meine Anm. 18 genannte Studie.

werden. Obwohl nicht ganz auszuschließen, ist es dennoch ziemlich unwahrscheinlich, daß diese Verse von Nahum herstammen.[26] Eher schon haben wir es mit einem Fragment zu tun, das auf irgendeine, nicht mehr durchsichtige Weise in eine Lücke des Buches geraten ist, sei es als Aufzeichnung am Rand der Kolumne, sei es *sub voce* der Feinde und ihrer Pläne, die am Ende des Eingangspsalms 1,9 erwähnt werden – eine Notiz zur weiteren Verarbeitung und zur Vervollständigung des alphabetischen Psalmtorsos.

[26] Zu der Vermutung, es handle sich um ein den Propheten selbst betreffendes Todesurteil, der folglich als Apostat und Aufrührer verschrien und zu Tode gebracht worden sei, könnte man aufgrund der Berichte über Verfolgungen unter König Manasse (2 Kön 21,1–18; 2 Chr 33,1–19; Jer 15,1–3) kommen (vgl. dazu Sach 13,3). Doch läßt sie sich nicht weiter erhärten. S. u. IX.

VI. Der Psalm

In Nah 1 findet sich ein Psalmgedicht, das mit V. 2 beginnt und mit einiger Wahrscheinlichkeit bis V. 8 zu verfolgen ist. V. 9f bietet zwar einige fragmentarische Aussagen, die als Weiterführung des Psalms angesehen werden können. Doch machen sie den Eindruck disparaten Materials, dem die Sinndichte der vorhergehenden Verse abgeht und das deshalb anders interpretiert werden muß. Jedenfalls vorläufig kann V. 2–8 als Einheit betrachtet werden.

Die Einheitlichkeit des Stücks ist formal durch *akrostichische Prägung* gegeben. Die Entdeckung dieser Eigenheit wird auf den württembergischen Pfarrer *G. Frohnmeyer* zurückgeführt.[1] Sie wurde von *F. Delitzsch* bekannt gemacht und fand in der Auslegung weitgehende Anerkennung.[2] Nur das Ausmaß des Akrostichons war umstritten. Während *H. Gunkel* und andere auf ein vollständiges alphabetisches Gedicht (*Alef* bis *Taw*) hinarbeiteten und dabei den Text bis 1,14 (2,1) einbezogen[3] (und stark strapazierten), vertraten *W. R. Arnold, P. Humbert* und andere[4] zu Recht die Auffassung, das Akrostichon sei nur bis *Kaf* mit Sicherheit erkennbar und wäre also nur bis zur Alphabet-Hälfte verwirklicht. Doch immer

[1] Es handelt sich wohl um den 1813 in Althengstett geborenen *Gottlieb Frohnmeyer* (auch mit *ay* geschrieben), langjährigen Präzeptor in Güglingen, ab 1857 Pfarrer in Kirchenkirnberg, Dekanat Gaildorf, der *Franz Delitzsch*, damals in Erlangen, seine Beobachtung mitteilte, die dann in die 2. Auflage des Psalmenkommentars von 1867 Eingang fand. Freundliche Auskunft (aus dem alten Württembergischen Magisterbuch von 1864), vermittelt durch Pfr. *W. Bachteler* und Pfr. *K. Kuntz*.

[2] Zur Forschungsgeschichte vgl. *Christensen*, Acrostic Reconsidered.

[3] *Gunkel* ging so weit, in dem von ihm als „Zusatzvers" zum Akrostichon angesehenen Passus 2,3 versteckt – unter Berufung auf *Lagardes* Beobachtungen zu Ps 25; 34; Sir 51 – den Namen des Verfassers zu vermuten, den er nach dem Anfangswort *šb JHWH* mit *šbj* = Schobaj oder Schobi angibt (244). – Neuerdings möchte *van der Woude* in den Anfangskonsonanten der Zeilen in V. 2–8 den Satz herauslesen: *»'ny bg'h wlpny ḥṭyk*, ‚I am the Exalted One and confronting them who commits sin against you'", was er als „the basic preaching of Nahum's writing" ansieht (Letter 123). Dies setzt natürlich einen intakten Text voraus, dazu die Annahme eines etwas unmotiviert verselbständigten *lpnj*. Wäre nicht eher zu übersetzen: „... deine Sünde ist vor mir"? – Vgl. auch die Anregung von *Krieg*, Todesbilder 518f, der die von ihm in Nah 1 erkannte „Dankliturgie" bis 2,1 zieht und die drei letzten Zeilenanfänge *r/š/t* zum Motiv ‚Netz' *(rešet)* verdichtet.

[4] Vgl. *Christensen* a.a.O.

auch gab und gibt es Stimmen, welche eine akrostichische Prägung vor allem mit dem Hinweis in Abrede stellen, daß die Textüberlieferung davon nichts wisse und jedenfalls keine Rücksicht auf solche Besonderheiten genommen habe. Die letzte Beobachtung jedenfalls scheint nicht ganz falsch zu sein.

Versucht man eine Rekonstruktion des Akrostichons, muß an einigen wenigen Stellen leicht geändert werden. So fehlt in der *d*-Zeile eine entsprechende „Zuspitzung" (V. 4b); die Wiederholung von *'umlal* „welk" in derselben Zeile ist ohnehin auffällig (und von den Versionen nicht gedeckt), der Vorschlag *d'b* „schmachten", noch besser wegen der Optik *dll* I (II) „schwach (schlaff) sein" akzeptabel.[5] In V. 6 verstellt ein erklärendes *lip̄nê die* *z*-Zeile. Eine Umstellung empfiehlt sich auch aus metrischen Gründen. Die *j*-Zeile beginnt im masoretischen Text mit einem *wj* und ist unschwer wiederherstellbar (V. 3a?). Schwieriger wird es im Terrain nach V. 8. Die zu erwartende *l*-Zeile kann in V. 9b, aber erst hinter der *m*-Zeile entdeckt werden. Die *n*-Zeile fehlt, es sei denn, man nimmt V. 2b dafür; *s* begegnet in V. 10 merkwürdig gehäuft, aber nicht an der Spitze einer Zeile. Mit V. 11 hört es endgültig auf...

Die unversehrten Zeilen folgen einem metrischen Rahmen von 3+3.[6] Das Akrostichon bestimmt nur das erste Kolon (Halbzeile). Das im Parallelismus beigefügte zweite Kolon wird in der Regel durch ein *w*ᵉ eingeführt.[7] Weitergehende Strukturpläne wie Symmetrie zwischen den drei Eingangszeilen (V. 2–3a) und in den drei Schlußzeilen (V. 7f) sowie im Gesamtkomplex gespiegelt um die Achse (V. 5) und ähnliches[8] setzen ein homogenes Gedicht voraus, das nach der Textlage jedoch vom masoretischen Text als solchem nicht geboten wird. Vielmehr wird man wie überall in der psalmischen wie prophetischen Überlieferung mit Verlusten und Zugaben rechnen müssen.

Die '-Zeile (V. 2a) hat Überlänge – die LXX bezeugt es. Jeweils ein *noqēm*

---

[5] LXX: ὀλιγωθῇ. Zum Wechsel *d* ≅ ' vgl. auch *Renaud*, Composition 201 Anm. 9.

[6] Der Versuch einer neuen „metrical" bzw. „prosodic analysis" von *Christensen* (Reconsidered, bzw. Once again) beruht weitgehend auf der Annahme eines fast unversehrten Textes in 1,1–10.

[7] Ob das halbzeilenbindende *w*ᵉ hier (wie anderswo) mit der in dem Manuskript 11QpaleoLev entdeckten Schreibtechnik der „waw-method for marking subsection" – ein in den freien Zeilenraum gesetztes *Waw* als Vorwegnahme der folgenden Konsekutivform – zu tun hat, muß dahingestellt bleiben. Vgl. *K. A. Mathews*, The Paleo-Hebrew Leviticus Scroll from Qumran: BA 50/1 (1987) 45–54.

[8] Unter Verweis auf *Tournay*, Psaume, etwa bei *Renaud*, Composition 200ff u. a.

(„Rächer") und JHWH sind zuviel. Wir schlagen vor, *noqēm* in der ersten, JHWH in der zweiten Hälfte als dittographische Ergänzung zu betrachten. – Die Zeile V. 2b ist eine (die?) *n*-Zeile; sie interpretiert den Begriff *nqm* von V. 2a. Die prosaische Zeile V. 3a (*j*-Beginn) kommentiert die Aussage von V. 2a mit Hilfe eines Schriftzitats (Ex 34,6 und andere). Beide Zeilen haben den Charakter eingeschobener Interpretamente mit theologisch erklärender Tendenz – im Blick auf das Buch. Es ist kaum wahrscheinlich, daß der Dichter des Psalms sein eigenes Werk derart kommentiert. Viel eher gehen die Umstellung (*n*-Zeile) und die Schriftzitierung auf den Bucheditor zurück, der die theologischen Prämissen des folgenden klarstellen will. Daraus ist zu schließen, daß der Verfasser des Psalms mit dem Editor nicht identisch sein kann, daß der Editor vielmehr auf einen ihm vorliegenden alphabetischen Psalm zurückgreift und ihn zum Teil, das ist etwa zur Hälfte, in sein Buch aufnimmt. Alle anderen Erklärungen des fragmentarischen Charakters des Psalms (und seiner Entstellung in V. 2f) müssen damit rechnen, der Autor habe sein Gedicht nicht fertigstellen können oder wollen oder das fertige Gedicht nachträglich auf die Hälfte reduziert.
Am Schluß des zitierten Teils (V. 7f) ist das Textgefüge offensichtlich in Unordnung, obwohl einzelne Teilstücke durchaus sinnvoll erscheinen. Die *ṭ*-Zeile ließe sich etwa so rekonstruieren:

> „Gütig ist JHWH zu denen, (die auf ihn trauen),
> (und) eine Zuflucht am Tage der Not."

Doch geht dies auf Kosten einer möglichen *j*-Zeile, für die man entweder V. 3a (Schriftzitat) setzen kann oder die eben offengelassen werden muß:

> „(und) er erkennt ...«

Der Ausdruck „und in der Regenflut zieht er vorüber" in V. 8 ist deplaziert und gehört sachlich zu V. 3b. Vermutlich ist er eine verdrängte Variante zu der geläufigeren Wendung: „und im Gewitter ist sein Weg". Die *k*-Zeile ist nach der LXX zu emendieren: „Einen Garaus macht er seinen Widersachern ...".
Im mittleren Teil bestehen Bedenken gegenüber der Überlieferung von V. 5. V. 5aβ enthält eine reichlich knappe Halbzeile mit der sachlich kaum anfechtbaren Aussage: „und die Hügel wanken". Indes könnte man auch hier an eine Variante denken, welche die Halbzeile V. 6bβ: „und die Felsen zerbrechen (durch ihn) [vor ihm]" an die jetzige, ganz unpassende Stelle verdrängt hat, wo wiederum die Zeile V. 10b: „[und] sie werden

verzehrt wie dürres Stroh" ihren angestammten Platz gehabt hatte – parallel zu und partizipierend an dem Motiv vom Feuer des Gotteszorns. Wann diese Kettenreaktion ausgelöst wurde, ist natürlich nicht mehr auszumachen. Daß sie zu Sinnverzerrungen geführt hat, wird nicht zu bestreiten sein (V. 10).

Die *w*-Zeile ist nach den Versionen zu lesen:

„Und ‚verwüstet' wurde das Land vor ihm" und, da eine universale Perspektive nach V. 4b (Basan, Karmel, Libanon) nicht angestrebt wird, nicht: „die Erde". Folglich ist zu erwägen, ob die zweite Halbzeile nicht ebenfalls so zu rekonstruieren ist: „und es trauern alle seine Bewohner" – *'bl* I statt *tbl* ‚Erdkreis'.[9]

Die *Rekonstruktion* des zitierten Psalmfragments hätte folgendes Aussehen:

2 *(')* „Ein eifernder Gott ist JHWH,
[und] ein Rächer und Herr des Zornes.[10]
3 *(b)* Im Sturm und Wetter ist sein Weg (im Regenguß zieht er vorüber),
und die Wolken sind der Staub seiner Füße.
4 *(g)* Er schilt das Meer, und es trocknet aus,
und läßt alle Ströme versiegen.
(d) Es ‚schmachtet'[11] Basan und der Karmel,
und die Blüte des Libanon verdorrt.
5 *(h)* Die Berge beben durch ihn,
und die Hügel wanken (die Felsen zerbrechen ‚vor ihm').
(w) Und ‚verwüstet' wurde das Land vor ihm,
und ‚es trauern' alle seine Bewohner.
6 *(z)* [12]Sein Zorn – wer kann vor ihm bestehen?
Und wer hält stand in der Glut seines Grimms?
(ḥ) Seine Wut ergießt sich wie Feuer,
(und Felsen zerbrechen ‚vor ihm')
und sie werden verzehrt wie dürres Stroh.
7 *(t)* Gütig ist JHWH zu denen, [die auf ihn trauen],
und eine Zuflucht am Tage der Not.
(j) [13]Er kennt ...
[und] ...
8 *(k)* Einen Garaus macht er seinen Widersachern,[14]
und seine Feinde verfolgt[15] er bis zur Finsternis ..."

---

[9] *w'blw kl* statt *wtbl wkl.*

[10] Das überleitende JHWH gehört nicht zum Akrostichon.

[11] S. o.

[12] *lpnj* zur *ḥ*-Zeile statt *mmnw.*

[13] *w* ist zu streichen.

[14] Mit LXX ist wohl *bqmwj* zu lesen.

[15] MT piel: „macht zu Verfolgten".

Der so herauspräparierte Text erlaubt nun einige Erwägungen zu seiner *literarischen Eigenart.* Trotz der lähmenden Selbstbindung der alphabetischen Vorgabe zeigt der Autor eine erstaunliche Elastizität der Gedankenführung. An den Anfang stellt er eine theologische Tripelthese, welche in direkter Aussage Nominalsatzgleichungen aufstellt. Diese werden auf das Subjekt JHWH bezogen. Die *theologischen Gleichungen* lauten:

JHWH = ein eifernder *El*
= ein Rächer
= Herr des Zorns.

Die erste Gleichung setzt die Identität JHWHs mit dem (oder einem) *'l* als diskussionslos gegeben voraus. Die damit verknüpften Probleme sind für den Verfasser nicht aktuell. JHWH kann mit der Kategorie *'l* ‚Gottheit' bezeichnet werden. Vielmehr Gewicht legt er auf die beigefügte Bestimmung „eifernd/eifrig". Der traditionsgefüllte Begriff bezieht sich – wie neuerdings zu Recht betont wird – auf die energische Wahrung des eigenen Rechts und die persönlich-emotionelle Reaktion auf alles, was dieses Recht antastet oder verletzt (zu eng gefaßt mit dem Begriff „Eifersucht", eher leidenschaftlicher Rechtseifer, Rechtsgefühl).[16] Dieser dem Gebiet des Rechts und der Rechtsverwirklichung entnommene Begriff bezieht sich auf die Verteidigung eigener (göttlicher) Rechte. Der in der zweiten Gleichung verwendete Begriff „Rächer" ist ebenfalls dem Gebiet des Rechts entlehnt. Er bezieht sich auf die uralte Institution der Blutrache, speziell auf den zur Rache seines Sippengenossen verpflichteten Verwandten. Der „Rächer" handelt nicht nach eigenem, sondern nach Sippenrecht, rächt nicht zuerst und vor allem sich, sondern seinen Verwandten (als Teil seiner Sippe).[17] JHWH wird hier als „Rächer" prädiziert, und das heißt, er wird in seiner Eigenschaft als Verwandter, Sippengenosse und ähnliches angesprochen, ohne daß zugleich die gemeinte Gemeinschaftsbeziehung genannt wird – davon spricht die Explikation in V. 7f. Der dritte Begriff „Herr des Zorns" kann rein psychologisch erklärt werden, nach weisheitlichen Parallelen im Sinne von „Besitzer von Zorn", zornerfüllt und anderes. Im theologisch expliziten, das ist juristisch metaphorischen Kontext könnte dem Begriff ein noch größeres rechtliches Gewicht zufallen, in der Weise, daß er sich auf die souveräne Beherrschung und Handhabung der zur Wahrung des Rechts eingesetzten

---

[16] Vgl. *Renaud,* Composition 209.
[17] Vgl. die Artikel *g'l* und *nqm* in THAT *(J. J. Stamm; G. Sauer)* und *ThWAT (H. Ringgren; E. Lipiński).*

emotionellen Energie („Zorn") bezieht, wobei der dem Psychologumenon anhaftende negative Akzent („jähzornig", „zornblind") gerade abgewehrt werden soll. Wie dem auch sei, jene theologischen Gleichungen erfahren eine Fortsetzung im Psalmtext erst zu Beginn des neuen Abschnitts V. 7, der ja dann abrupt endet, so daß der Gedankengang im zweiten Teil des Psalms nicht weiter verfolgt werden kann.

Wohl aber erfahren die Spitzensätze von V. 2 eine weitere Gleichsetzung, indem in bildhafter Darstellung das begrifflich Definierte nunmehr anschaulich gemacht wird. JHWH ist auch gleich einem Gewittergott. Seine Epiphanie im Gewitter macht sein Wesen deutlich. Wie vielfach bezeugt, dient dem Verfasser die Darstellung der Theophanie im Gewitter als Explikation des göttlichen Wesens.[18] JHWH, der Rechtswahrer, der Rächer, der Herr der Strafe, ist der im Gewitter offenbare und erlebbare Gott (*'l*).

Die Schilderung der *Theophanie* (V. 3b–6) baut die theologischen Aussagen ihrerseits auf nominale Gleichungen, wozu der hymnische Partizipialsatz gehört. Die Verbalaussagen konzentrieren sich charakteristischerweise auf Aussagen mit anderem Subjekt (Berge, [Hügel], Land, Felsen, Gegner, sein Zorn und so weiter) oder mit Untersubjekt[19] (V. 4). Die Schilderung bleibt ganz im Rahmen der Gewittertopik. Trotz der akrostichischen Zwangslage ergeben sich flüssige, zum Teil poetisch gelungene Zeilen und gedankliche Linien, die den umgebenden Hymnentexten zumindest nahekommen.[20]

Die Spur des epiphanen Gottes verfolgt V. 3b. Sturm, Gewitter, Regenguß benennt Phänomene, welche den Weg des sich Offenbarenden zeigen. Dazu, in der zweiten Hälfte, die Wolken: sie bilden – ein singuläres Bild – den beim Gehen aufgewirbelten „kosmischen" Staub. Auch verbergen sie den Ziehenden und schützen vor dem gefährlichen Anblick. Beim Beschelten des Meeres ist an das Donnergrollen zu denken (vergleiche Ps 29), doch auch an das Urzeitmotiv des Sieges über das Chaosmeer, zu dem die „Urflüsse" gehören. Trockenlegung der Meere und Versiegenlassen der Ströme gehören aber bleibend zum Machtarsenal des Wettergottes, der regnen läßt, wann und wo er will. Dann schmachten und verdorren Waldhöhen und Gebirge (V. 4b). Das geographische Dreieck Basan, Karmel, Libanon könnte, Ps 29 entsprechend und Hab 3, den

---

[18] Vgl. die Theophanietexte Ps 18; 29; 77; 97; Hab 3 u. a.

[19] Beim hifil.

[20] Ein „kunstvoll verschnörkelter Hymnus" (*Haller* 407); „a literary masterpiece" (*Christensen*, Reconsidered 23; Once again 413).

„Horizont" des Hymnus umgrenzen, ohne daß man allerdings daraus sichere Schlüsse auf den Standort des Verfassers ziehen kann. Dan liegt im Dreieck, aber auch der Tabor, von dem aus man die drei Gebirge (Basan = Golan) sehen kann.[21] Daß Gewitter sich mit Beben verbinden können, zeigt wiederum Ps 29. Dies erklärt V. 5 (und V. 6bβ): Berge/Hügel wanken, Felsen zerbrechen „wegen/vor ihm". Trotz der Anspielungen an kosmische Erscheinungen (V. 4 etwa) scheint die universale Perspektive von V. 5b (masoretischer Text) kaum ursprünglich. Es kann ja kaum um den „Erdkreis" und alle seine Bewohner gehen, welche das kosmische Gewitter treffen soll. Vielmehr doch eher der Geographie von V. 4b entsprechend konkret um „das Land" und, nach der von BHS vorgeschlagenen Korrektur, die dadurch bewirkte Trauer (*'bl*[22] statt *tbl*) „seiner Bewohner". Kein Widersacher kann dem „Herrn des Zorns" widerstehen; V. 6 (V. 10b*) hält das fest und leitet jene Gewalt aus dem „Feuer" der Blitze ab, welches – als Ausdruck des göttlichen Zorns – alle, die ihm zu widerstehen versuchen, verzehrt „wie dürres Stroh" (V. 10).
Der mit V. 7 beginnende Abschnitt des Psalms kehrt zu der theologischen Begriffssprache zurück, genauer zum Stil der Vertrauenspsalmen. Er zieht sozusagen die Konsequenzen der hymnischen Aussagen für die betroffenen Gruppen, hier als „die auf ihn trauen" und „die sich gegen ihn erheben", „die Feinde", definiert. Dabei finden die Theologumena „gütig", „Zuflucht", „Finsternis", „Garaus" Verwendung. Die Aussage bleibt ganz im Rahmen der Vorstellungen der Vertrauenspsalmen. Der Übergang ist formgeschichtlich interessant – und läßt Folgerungen zu Alter und Herkunft zu; doch der Abbruch mit und nach V. 8 läßt für die ursprüngliche Fortsetzung des Psalmgedichts nur Spekulationen zu.
Zum Schluß eine Erwägung zur *Datierung* des Fragments. Alphabetische Gedichte und Psalmen sind seit der Exilszeit bekannt (Threni). Ältere Beispiele fehlen. Hymnen zum Thema Theophanie jedoch können nach Ausweis von Ps 29; 18; 68; Hab 3 älter, das ist vorexilisch, sein. Vertrauenspsalmen im Stile von V. 7f sind allerdings meines Wissens vorexilisch nicht belegbar und mit Ps 3ff; 16; 23 zum Beispiel sehr viel eher nachexilischer Abstammung.[23] Insofern würde solches auch für unser Psalmgedicht selbständiger Entstehung anzunehmen sein, was den Schluß erzwingen würde, daß Nah 1 in der jetzigen Form erst in jener Epoche zustande gekommen wäre, was wiederum zu dem über 1,12ff Gesagten

---

[21] *tell el qādī.*
[22] Ges[18] 8.
[23] So auch *Renaud,* Composition 208ff.

passen würde. Über die Zwischentexte in 1,9ff wäre allerdings noch nichts Endgültiges ausgemacht.
Bei der *Edition* des Buches Nahum wurde der Psalmtorso an den Anfang gestellt, offenbar unmittelbar hinter die Überschrift 1,1. Diese bezieht sich auf die ab 1,12 folgenden prophetischen Überlieferungen, beziehungsweise auf die Ninive-Dichtungen in Kapitel 2 – 3, und läßt keine Beziehung zu dem Psalm erkennen. Nach Aufnahme des Psalms erscheint der Ausdruck „Schauung" durch die hymnische Darstellung der Theophanie JHWHs ausgeweitet – ähnlich wie im Buch Habakuk bei der Anfügung von Kapitel 3. Ob der Ausdruck „Ausspruch" inhaltlich erweitert wird, ist schwer zu sagen, weil er durch seine wohl sekundäre Spitzenstellung ohnehin seines konkreten Bezugs zu den Ninive-Orakeln verlustig ging. Immerhin hat die Aufnahme des Psalms den Buchtiteln nicht Schaden zugefügt, wie man dies für den Übergang vom Psalm zum prophetischen Korpus (1,9ff) annehmen muß. Die Irritationen gehen ja weiter bis zum Beginn des 2. Kapitels und machen den nachträglich wohl verschiedentlich überarbeiteten und umgestellten Text zum Teil völlig unleserlich.
Nach unserer Analyse sollte der Buchanfang auf 1,12 anzusetzen sein, durch Zuordnung sollten die Stücke 1,12.13; 2,1.3 und 1,11.14 sich zu Einheiten fügen. Der Rest – den wir noch gesondert untersuchen werden – besteht offenbar aus Notizen zu einem Versuch der Weiterführung der alphabetischen Zeilen (1,9f) sowie Bemerkungen über den Zustand des vorgefundenen Textes (1,10.12; 2,1), beide eher Abschreibern und Auslegern zuzurechnen als den Haupteditoren, obwohl diese die Unordnung verursacht zu haben scheinen.
Wir erkennen eine gewisse Rücksichtslosigkeit einmal in der Behandlung des verwendeten Psalmtexts. Man beachtet dessen Struktur nicht, übernimmt nur, was man zu brauchen scheint, läßt das Gedicht zu Beginn des zweiten Abschnitts abbrechen. Dieselbe Mißachtung wird sichtbar an der Erweiterung der ʾ-Zeile in V. 2b.3a durch Umstellung der *n*-Zeile zur ʾ-Zeile (?) und durch die prosaische Kommentierung durch ein Schriftzitat. Dazu passen die Verwischungen der Akrostichen, in V. 4.6.7b etwa, obwohl man nicht alle Textschäden jenen Editoren in die Schuhe schieben darf. Doch der Vorwurf nachlässigen und wenig sorgfältigen Umgangs mit dem Text ist nicht unbegründet.[24] Dies läßt sich auch daran sehen, daß das doch offenbar schon geordnete „Buch der Schauung Nahums" ziem-

[24] Vgl. *Arnold*, Composition 263ff („from memory and not from manuscript", 261).

lich bedenkenlos von der Spitze her verändert wird, nicht wie üblich durch Zusätze und Anhänge (vergleiche Hab, Zef). Und dies zudem mit einem Text, von dem die Editoren kaum glauben konnten – wie die des Buches Hab (?) –, daß er von Nahum herstamme. Zu verschieden sind die Dichtungsarten der Texte. Die Folge ist eine weitgehende Destruktion, ja Zertrümmerung des Bucheingangs, wenngleich es möglich ist, daß nur die Voranstellung eines Mottos beabsichtigt war. Aber die Kanten von Psalm und Prophetie in 1,8 und 1,12 paßten nicht aufeinander. Dort klafft ein Loch, nur mühsam mit Bruchsteinen und Mörtel ausgefüllt und nachträglich zugedeckt.

Was aber war der Beweggrund zu einer so schweren Operation? Alles spricht dafür, daß es die Absicht war, „das Buch der Schauung" theologisch auszurichten und aufzufüllen. Ohne den Psalmtext 1,12ff enthält ja das Korpus des Buches nur wenige explizit theologische Aussagen, sei es in den Gottessprüchen 2,14; 3,5 und 1,12f; 2,1.3 oder in den kleineren Spruchtexten 1,11.14, so daß unter der Normfrage nach der das Buch tragenden theologischen Lehre durchaus ein Defizit an dogmatischer Substanz empfunden werden konnte.[25] So viel ist jedenfalls gewiß: den Rezeptoren von Nah 1,2ff lag in erster Linie an der vom Psalm gebotenen theologischen zentralen Lehraussage. Eine solche enthielt am dichtesten der Hymnus. Er spricht beschreibend von Gottes Wesen und Werk, von der Offenbarung und ihrer Wirkung, und eignet sich – wie auch die Herausgeber von Habakuk, Micha, Amos und anderen Schriften erkannt haben – am besten als Rahmen zur systematischen Einordnung der prophetischen Zeugnisse. Als etwas grob gezimmertes Gerüst und Podium war auch Nah 1 gedacht. Auf solche Weise ließ sich – die Kommentare zur Theologie des Buches Nahum bestätigen das auf ihre Art – eine theologische Prämisse anbringen, welche alles Folgende in ihre Perspektive stellt. Und diese Prämisse fanden die Herausgeber in der Bekenntnisaussage Zeile ' des Psalms (1,2), daß JHWH ein Gott des Rechts und der Strafe ist und sich im Ninive-Geschehen als dieser erwiesen hat. Nah 2f liest sich dann, und das ist die Absicht, als Paradigma für Gottes Engagement für Recht und Gerechtigkeit. Die Weltgeschichte war ein Weltgericht. Und so bestätigt Nahums Prophetie und ihre Erfüllung den Satz von Gott als dem Rächer der Seinen, an dem festzuhalten offenbar das eigentliche Anliegen der Editoren war.

Daß sich dies so verhält, bestätigen die *Unterstreichungen* und *Präzisierungen*, welche an der Hauptthese 1,2a vorgenommen wurden. Zuerst

---

[25] IX.

stellt V. 2b zum Theologumenon „Rächer" offensichtlich in Verkennung des traditionellen Rechtssinnes aus dem Sippenethos präzisierend fest, daß die Rache und Bestrafung vor allem „seinen Feinden und Gegnern" gelte, das heißt, daß diese Seite seines Handelns[26] sich gegen seine und Israels Feinde, zum Beispiel die Assyrer, richte, wobei er die Taten der Gegner rächt. Dann präzisiert V. 3a den Sachverhalt noch in Richtung der anderen Seite und ergänzt mit Zitat der Schrift, daß JHWHs Wesen zwar wie bekannt „langmütig" sei, um dem Einwand offenbar zu begegnen, daß die Rache und Strafe ausbleibe. Doch betont, so der Gedankengang, gerade jenes geläufige (leicht variierte, das heißt wohl aus dem Gedächtnis zitierte) Schriftwort Ex 34,6, daß Gott viele Möglichkeiten hat zu bestrafen, und dies auch – wie geschrieben steht – tun wird. Der Schriftbeweis (V. 3a) unterstreicht das Verständnis des Satzes „Rächer ist JHWH" (V. 2b) wie der Tatbeweis des Nahum-Zeugnisses. Letztlich geht es um die angemessene theologische Deutekategorie, also um ein theoretisches Problem. Die rechte Lehre scheint erst mit solchen Prämissen im Nahum-Buch gesichert zu sein.

Ein *Nachklang* solcher theoretischer Erwägungen scheinen nun zuletzt die Anschlußsätze in 1,9 zu sein. Vermutlich unter dem Diktat der alphabetischen Reihe – doch in falscher Folge – sind diese Sätze entstanden, welche formal dialogisch, inhaltlich lehrhaft erscheinen.

„Was denkt ihr über JHWH?" Die *m*-Zeile – zu früh gesetzt – setzt den Disput von V. 2f über die Definition des Wesens JHWHs fort. – „Den Garaus macht er selbst" – Wiederaufnahme oder Variation der *k*-Zeile (V. 8a). – „Nicht zweimal entsteht Bedrängnis" – *l*-Zeile, korrigiert vielleicht: „Nicht zweimal erheben sich seine Feinde", von fraglicher Bedeutung. Nicht ausgeschlossen wäre eine alphabetisierende Reihe: 8aβ (9aβ).9b.9aα.2b – mit allerdings, ausgenommen *k*- und *n*-Zeile, nur halbgefüllten Zeilen. Die theologische Diskussion scheint mit 1,9 zu versanden.

---

[26] *nṭr* „s. Zorn bewahren, dauernd zürnen" (HAL 656 f).

VII. „Masoretische“ Notizen

Zum Verständnis des schwer durchschaubaren Textes 1,9ff muß man meines Erachtens zwei Annahmen vorausschicken. Einmal ist damit zu rechnen, daß – bedingt durch technische Mängel – *Verschiebungen* von Worten, Sätzen und Zeilen vorgekommen sind, wie sie ja im weiteren Kontext mehrfach festgestellt worden sind. Insofern gebietet die Sachlage, nur mit kleinen, aber natürlich größtmöglichen Sinneinheiten zu operieren, welche sich ohne Zwang ergeben, und den Versuch nicht zu scheuen, die gefundenen Mosaiksteinchen – sofern sie gar nicht in ihren Kontext passen – anderswo anzufügen. Der Gewinn an Aussagesinn rechtfertigt solches Vorgehen um so mehr, als der überkommene Text ein Verständnis schlechterdings nicht bietet.[1] Zum anderen muß man die Möglichkeit prüfen, ob nicht eventuell *Randnotizen* später in den Text geraten und mit ihm vermischt worden sind.[2] Gelegentliche Beispiele in der alttestamentlichen Literatur belegen, daß es das gab. Mir scheint, der Schlüssel zum Verständnis des Textschadens liegt in dieser Annahme, wie ich gleich zeigen will.[3]

1. „Wie dichtes Dornengestrüpp
   und wie wirres Windengerank werden sie verbrannt,
   wie dürre Spreu; nichts bleibt übrig.“

So übersetzt die Einheitsübersetzung *1,10* und macht das Beste daraus, Besseres jedenfalls, als der masoretische Text bietet. Denn dieser sagt etwa: „Denn bis zu verflochtenen Dornen[4] und wie trunkene ‚Zecher‘,[5] sie wurden verzehrt wie dürres Stroh, vollständig.“ Was immer an Sinnfetzen und Assoziationssplittern sich ablösen läßt, man wird ohne Eingriffe nicht durchkommen – wie die Einheitsübersetzung gleich am

[1] Vgl. die Zusammenstellung bei *Schulz*, Nahum 12f.

[2] Nach *Fr. Delitzsch*, Die Lese- und Schreibfehler im Alten Testament, Berlin-Leipzig 1920: „Dem Schrifttexte einverleibte Randnotizen“ (132ff). Vor allem *Sellin* hat mit solchen Annahmen gerechnet, KAT 309; 313, s. o. I.

[3] Vgl. dazu meine Untersuchung: Vormasoretische Randnotizen in Nahum 1, ZAW (erscheint demnächst).

[4] LXX las statt *ᶜd sjrjm* wohl *ᶜd jsdm*, d. i. ἕως θεμελίου „bis zum Fundament“.

[5] MT: *sobᶜām* „ihr Zechen“, wohl als *sobᶜîm* zu lesen. LXX: σμῖλαξ περιπλεκομένη „rankende Winde“ las vermutlich *skjm sbbjm* (*sk** ‚Dorn‘) vgl. auch HAL 697 (nach *Rudolph* KAT 153).

Anfang deutlich zeigt.[6] Wir wollen es anders versuchen und gehen von der Beobachtung aus, daß V. 10 eine Reihe von vier möglichen *s*-Akrosticha[7] enthält gerade an der Stelle – unter Einschluß einer *n*-Zeile (aus V. 2b) –, wo alphabetisch eine *s*-Zeile stehen müßte. Da die *s*-Vokabeln auch zum Repertoire poetischer Feindmetaphern gehören, liegt der Gedanke nahe, man habe hier in Absicht einer Weiterführung des Akrostichons Material bereitgestellt, um eine *s*-Zeile über Feindvernichtung, analog zur *k*-, *l*-, *n*-Zeile, zu konstruieren, doch sei die Fertigstellung aus unbekannten Gründen unterblieben.

Nimmt man die *s*-Vokabeln einmal nicht zum Nennwert, sondern als mögliche Träger eines Akrostichons *s*, so verändert sich die Aussage von V. 10 insofern, als zu übersetzen wäre: „Ja, bis zum s^{4x} (‚sie wurden verzehrt wie dürres Stroh') vollständig." Sinn dieser Aussage wäre dann die Feststellung, daß der Text bis zur, aber unter Ausschluß der Zeile *s*, „voll, gefüllt", also vollständig ist. Wir hätten dann vermutlich eine Randglosse vor uns, welche eine Feststellung zum defizitären Textbestand macht. Dies würde voraussetzen, daß der Glossator seinerseits den akrostichischen Text in seiner Fragmentarität wahrgenommen hätte und (um sich und seine Abschrift zu entschuldigen) den Abbruch des Textes vor *s* dokumentieren wollte.

Doch ist der Sachverhalt wohl noch etwas komplizierter. Will man den Zwischensatz in V. 10 („sie wurden verzehrt...") nicht als Explikation der Dornen- (und Winden-) Vergleiche auffassen, was an sich möglich wäre, muß man sich ins Gedächtnis rufen, daß Anlaß war, zu erwägen, ob dieser poetische Satz nicht primär zur *ḥ*-Zeile gehört hat. Dann hätte eine ursprünglichere – als die oben rekonstruierte – Glosse vermerkt, daß der Text „bis [zum Satz]: ‚sie wurden verzehrt wie dürres Stroh' voll", das heißt mutmaßlich bis zum Ende der *ḥ*-Zeile, also des ersten Teils des Hymnus vollständig erhalten sei, während ab Zeile *ṭ* (V. 7) die Lücken beginnen.[8]

Man müßte schließen, jene weitergehende *s*-Notiz hätte die *ḥ*-Notiz korrigieren oder verdrängen sollen, weil sie den Erhaltungszustand optimistischer einschätzte oder einen besseren und durch V. 7–9 erweiterten Text vor sich hatte. Zugegeben, eine nicht unkomplizierte Rekonstruk-

---

[6] Weglassen von *kî ᶜad*, bzw. Umfunktionierung zu *kᵉ* usw.

[7] Als Alliteration nachgebildet von der Einheitsübersetzung: d-D und w-w-W-w.

[8] Ich nehme an, daß *ʾklw kqš jbš* in V. 6b (*ḥ*-Zeile) und am Rand von V. 10, also zweimal im Text erschien – Anlaß für Abschreiber und Bearbeiter, die Dittographie zu vermeiden und nach Ersatz zu suchen (in V. 6 = *ḥ*-Zeile 2. Hälfte aus V. 5; in V. 5 Neubildung). Zur Kettenreaktion im Gefüge des Psalms, vgl. o.

tion mit einigen Unbekannten! Doch wird man die Vorteile einer solchen differenzierten Wertung der Textelemente, auch die Abwertung der *s*-Vokabeln und die Aufwertung der sinnlosen Sätze zu Randglossen nicht verkennen, vor allem da sich durchaus den Sachverhalt treffende Feststellungen ergeben. Wer will bestreiten, daß der Text Nah 1 bis V. 6 (einschließlich) relativ gut, bis V. 9 leidlich gut „gefüllt" ist – je nach dem Maß, mit dem gemessen wird? Wir schlagen vor, V. 10 als Vereinigung von Randglossen zum Text in Nah 1 zu verstehen.

2. Diese Auffassung kann unseres Erachtens von *1,12* her gestützt und bestätigt werden. In 1,12 liegt nämlich ein analoger (Un-)Fall vor. Über die prophetischen Textanteile ist schon gesprochen worden.[9] Die Reste wurden bislang ausgeklammert und sollen nun zu ihrem Recht kommen. Der wörtlich übertragene Zwischentext lautet nach masoretischer Lesung:

„Wenn unversehrte
und so viele (mehrere)
und so sind sie abgeschnitten
und er ging vorüber."

Wir vermuten, daß der masoretische Text irrtümlich angenommen hat, daß es sich um normale Sätze handelt, und übersehen hat, daß hier möglicherweise *Abkürzungen* vorliegen, die als Wörter gelesen wurden. Dies gilt für die unverständlichen Partikel „wenn" und „so" (zweimal). Sollten sich hinter ihnen die fehlenden pluralischen wie singularischen Subjekte verbergen?
Wir verstehen *'m* nicht als Partikel, sondern als eine Abkürzung: „von ' bis *m*", zu lesen: „von der '- bis zur *m*-Zeile unversehrt" *(šlmjm)*. Das heißt, bezogen auf das akrostichische Gedicht, stellt eine *Notiz* fest, daß die Zeilen ' bis *m* (V. 2–9) unversehrt enthalten sind, was – wie wir sehen – im großen ganzen im Blick auf den uns erhaltenen Text richtig ist.[10]
Entsprechend wäre die *zweite Aussage* „und von *k* bis *n* viele"[11] umzusetzen. Doch da entstehen Verständnisschwierigkeiten. Was heißt *rbjm* „viele" beziehungsweise „sind viele, mehrere" oder ähnlich? Dazu ist nicht leicht zu sehen, weshalb *k-n* sich mit '-*m* überschneidet und was das bedeutet. Vielleicht muß man hier eher der LXX folgen, die das erste *wkn*

[9] VI.
[10] Der Glossator ist also kein Anhänger der Globallösung *Gunkels* u. a.
[11] Oder: *k*+*n*?

offenbar nicht gelesen hat[12], und im masoretischen Text eine Dittographie annehmen. Folglich wäre dann die erste Notiz mit *rbjm* zu ergänzen als gewisse Einschränkung: „(jedenfalls) viele, das ist: die meisten".
Sinnvoll ist die *dritte Notiz* in der Umschreibung: „Und von *k* bis *n* (die Zeilen) geschoren = gekürzt", sofern sie sich auf die zum Teil nur halb belegten Zeilen bezieht.[13] Welcher Text den Glossatoren vorlag, ist nicht sicher. Nach dem masoretischen Text aber sind zumindest im Bereich von V. 8f „Schur-" Verluste nachweisbar.
Die *letzte Notiz* könnte – pluralisch mit Kopula *(wʿbrw)* – als „und verlorengegangen" zur vorigen Notiz ergänzt werden oder singularisch als „*w* übergangen" (wörtlich: „ging unter") wiedergegeben werden. Bezogen auf die *w*-Zeile V. 5b macht das keinen Sinn. Doch könnte ein ursprüngliches *j* gemeint sein. *w* und *j* waren ja zeitenweise in der frühen „jüdischen Schrift" kaum oder nicht unterscheidbar.[14] Die *j*-Zeile aber – entweder V. 7b oder wegen der prosaischen Form ziemlich unwahrscheinlich V. 3a – macht Probleme, die offenbar schon älteren Datums sind. Die betreffende Notiz wollte möglicherweise festhalten, daß diese Zeile „untergegangen" ist oder daß man sie „übergangen hatte".[15] Ist das richtig, würde man daraus schließen müssen, daß der ihr vorliegende Text offenbar die Umstellungen in V. 7f noch nicht kannte, welche aus V. 7b und V. 8aα eine Zeilenfüllung zu erreichen suchen.
Die Notizen in V. 12 sind von anderer Art als die von V. 10, gehören also offenbar einer anderen Zeit an. Doch auch sie scheinen ein alphabetisches Akrostichon vorauszusetzen, wenngleich zu vermuten ist, daß ihre Text-

---

[12] LXX: κατάρχων ὑδάτων πολλῶν las überhaupt anders. Statt *ʾm šlmjm wkn rbjm* offenbar (ʾ) *mšl mjm* ( )*rbjm* „Herrscher über große Wasser".

[13] *k* – V. 8, *n* – V. 2b hätten zwar Normallänge. Doch ist nicht sicher, ob V. 8 und V. 2b gemeint sind. Die *n*-Zeile könnte ausgefallen sein; als *k*-Zeile könnte V. 9aβ figuriert haben.

[14] Vgl. *J. Naveh,* Early History of the Alphabet, Jerusalem – Leiden 1982, 112ff. Gemeint ist die sog. Quadrat-Schrift.

[15] Der Gebrauch von *ʿbr* ist im Vergleich zu den Kontextstellen 1,8; 2,1 charakteristisch. Ist dort die konkrete Bildhaftigkeit des Verbums aktiviert („überströmende Flut", bzw. „Vorbeizug/Durchzug des Herrschers durch das Land Juda") – Beispiele für *ʿbr b* bei BDB Nr. 3 (717) –, zielt 1,12 auf abstrahierende Verwendung: „untergehen", „verschwinden". Im Blick auf die spätheb r. Verwendung als Terminus technicus im Sinne von „ungültig, aufgehoben, aufgelöst s." (vgl. HAL 736), von Streichungen im geschriebenen Gesetz oder im Erlaß gesagt (Est 1,19; 9,27.28), könnte man auch hier buchtechnische Terminologie annehmen, was für Randnotierungen von Editoren u. ä. gut passen würde, etwa: „*w/j* – gestrichen".

vorlage eine andere war als die der Notizen aus V. 10. So wenig man sonst darüber sagen kann, weil direkte Vergleichsmöglichkeiten fehlen, kann man die Notizen von V. 12 am ehesten von der masoretischen Überlieferung und ihrer Zielsetzung her verstehen, nämlich den überkommenen Text zu fixieren, indem seine Eigenart und sein Zustand notifiziert werden. Solche früh- und vor-masoretischen Ansätze kann man da und dort wahrnehmen,[16] am deutlichsten meines Erachtens bisher in Nah 1. Es muß aber danach eine Zeit gegeben haben, wo man auf solche „Masora“ nicht mehr geachtet hat. Wie anders wäre es zu erklären, daß nunmehr Nah 1 alles wie Kraut und Rüben zusammengeworfen ist – sehr zum Schaden des Textes 1,7 – 2,1.

3. *klh nkrt* „ganz zerstört“ liest man am Ende von *2,1,* nachdem gerade eine hoffnungsvolle Perspektive durch den Friedensboten eröffnet ist. Gewiß, man muß die Aussage im überlieferten Text auf den zuvor genannten Belijaal beziehen, der in 1,11.14 eine gewisse, wenngleich lokal begrenzte Rolle spielt. Aber ist der Belijaal in 2,1 derselbe Untäter von 1,11.14? Wie konnte er Juda nachhaltig am Feiern hindern? Ist er Repräsentant der herrschenden Großmacht (1,13)? Assyrer, Babylonier? Weshalb wird der Großkönig oder dergleichen „Nichtsnutz“ oder ähnlich beschimpft? Weshalb nicht so, wie es seinen politischen Taten entspricht? Fragen und Bedenken, die angesichts des unvermittelten Belijaal in 2,1 aufkommen.[17] Sollte es vielleicht ein *Einschub* sein, der 1,11.14 mit 1,12f; 2,1 vermitteln oder gar die mit 1,13 schwer vereinbare Feststellung „ganz zerstört“ mit dem Text verbinden wollte? In jedem Fall wäre die Aussage als *Stoßseufzer*[18] eines Lesers und Abschreibers über den Zustand von Nah 1 konkreter und sinnvoller gewertet, denn als nichtssagende Feststellung vom totalen Ende eines als Belijaal beschimpften anonymen Feindes. Es scheint uns erwägenswert, auch hier am Ende von Kap. 1 (2,1 gehört sachlich zu 1,12f) eine Randnotiz anzunehmen, welche der in der Tat beklagenswerten Textsituation Ausdruck gibt.

---

[16] Vgl. *Delitzsch* a.a.O. 132ff.

[17] LXX liest hier auch anders εἰς παλαίωσιν „auf Wiederholung“ (?)

[18] LXX hat es als Ausruf des „Evangelisten“ verstanden: „Erledigt, vernichtet“ (Συντετέλεσται, ἐξῆρται < *klh* pu. *kullâ* statt *kullô*)! *Arnold*, Composition 263 Anm. 1 z. B.: „hodgepodge version“ (= Mischmasch).

VIII. Zur Rezeptionsgeschichte

1. Die erste Phase der Wirkungsgeschichte des Nahum-Buches hängt eng mit der letzten Phase der Entstehungsgeschichte zusammen.[1] Sie beginnt damit, daß die überlieferten Nahum-Texte gesammelt, aufgeschrieben und als selbständige „Schrift“ ediert werden.[2] Der Vorgang der *Edition* selbst allerdings entzieht sich der genaueren Einsicht. Man kann nur – wie gezeigt – einige Beobachtungen zusammentragen. Da explizit von einer „Schrift“ die Rede ist, muß sie wohl zum Lesen verfaßt und an Leser gerichtet gewesen sein. Selbst die Archivierung im Zuge des Kanonisierungsprozesses hatte wohl grundsätzlich keinen anderen Zweck gehabt, als eben – zukünftige – Leser zu finden. Kann man von der Erwartung der Überlieferung aus etwas über diese Leser sagen?

Wir müssen zur Beantwortung dieser Frage deutlich differenzieren und uns an die oben versuchte Unterscheidung der Schriftrolle (*sēp̄er*,[3] etwa 1,1.12 – 3,19) aus dem 6. Jahrhundert und des Prophetenbuches in der Endfassung (d. h. mit Eingangspsalm) erinnern. Die Leser dieser ersten Schriftrolle sind im Juda der Exilszeit zu suchen.[4] Ihnen galten ja die Trostworte von 1,12 ff. Da Juda als ganzes angesprochen ist, wird wohl an eine öffentliche Verlesung[5] zu denken sein, welche der Gemeinde den aus der inspirierten Prophetie Nahums gegen die Blutstadt Ninive und ihr Joch zu gewinnenden Trost in ähnlicher Situation zusprechen wollte. Wenn wir uns nicht täuschen, begann ja diese Schrift betont mit dem Ich-Wort JHWHs (1,12), das sich in der Komposition von 2,14 ff fortsetzt: Ich, ich bin es und kein andrer – bzw. JHWH war es und kein andrer, und er sieht gewiß wieder einen heilvollen Eingriff vor: „Ich werde dich nicht mehr bedrängen“. Hier sind wir ganz in der Nähe der Verkündigung Deuterojesajas. Es ist kein Zufall, daß 2,1 an Jes 52,1.7 erinnert. Leider lassen sich Spuren eines Einflusses auf die Hörer nicht ausmachen.

Diese Schrift war wahrscheinlich als Kleinrollenbuch[6] konzipiert, beste-

[1] Dazu o. II.

[2] Unter Wirkung ist hier nicht die von *Maier* minutiös in 22 Punkten notierte „Erfüllung“ der Weissagungen gemeint (114 ff), vgl. *Rudolph* 190.

[3] *spr* ‚Dokument‘, ‚Schrift‘, wohl bezogen auf eine Kleinrolle.

[4] Zu *Rudolphs* These einer prophetischen Trostschrift für die Jahwetreuen der assyrischen Zeit, s. o. I.

[5] So auch *Schulz*, der – allerdings im Blick auf die Endfassung – von der „die Gesamtkonzeption der Schrift bestimmenden Ausrichtung auf gottesdienstliche Verlesung“ spricht (Nahum 134).

[6] Mit den genannten Vorbehalten, vgl. o. II.

hend aus zwei bis vier zur Rolle zusammengenähten Einzelblättern oder „Seiten", insgesamt mit ebensovielen Kolumnen. Dieses Format blieb auch erhalten, als man noch eine „Seite" oder Kolumne hinzufügte, um den Eingangspsalm einzubringen. Sowohl Schrift wie Buch entsprachen so im Umfang anderen Kleinrollenbüchern wie Habakuk, Zefanja, Micha (1 – 3?), Maleachi u. a. Zu denken ist an die in Jer 36 beschriebene, aus einzelnen Stücken zusammengesetzte – wohl genähte – Lederrolle.
Die – im Unterschied zu Hab 1,2ff, aber in Analogie zu Hab 3[7] – bewußt gewollte Erweiterung der „Schrift" zum Prophetenbuch zeigt eine neue Verwendung an. Sie kann doch wohl erst nachexilisch erfolgt sein. Mit dieser Bearbeitung erreicht das Buch eine Gestalt, welche es zur Kanonisierung befähigt. *B. S. Childs* hat darauf hingewiesen, daß in diesem Stadium offenbar die Prophetenschriften neu als theologische Kompendien strukturiert werden.[8] Ihre „rechte Lehre" mußte gewährleistet werden. Dazu bediente man sich – so scheint es – vornehmlich der hymnischen Überlieferung, um Lücken aufzufüllen und eine Balance der theologischen Aussagen herzustellen.[9] Das zeigen die Beispiele der Bücher Amos, Habakuk, Zefanja, Jesaja etwa und eben auch das Buch Nahum. Ob dahinter zudem gottesdienstliche Einflüsse normierend auf die Konzeption einwirken konnten – wie *H. Schulz* meinte, „daß der Verfasser die gottesdienstliche Verlesung von vornherein intendierte" –,[10] scheint mir zwar möglich, aber nicht sicher. Es könnte ja jetzt mehr und mehr auch zu einem Lesen des einzelnen Frommen „bei Tag und bei Nacht" – nach dem Vorbild von Ps 1 – gekommen sein. Erkennbar aber ist, daß es nun zentral um die theologische Lehre geht.
Die aus solchen Gründen notwendig gewordene Neuakzentuierung wur-

---

[7] Vgl. meine Auslegung im erscheinenden ZBK, unter Berücksichtigung der These von *H. Schmidt*, Psalm.
[8] Introduction 443ff.
[9] Vgl. *Arnolds* amüsante Beschreibung dieses Vorgangs: „When he (scil. the late redactor) had written down the title (scil. 1,1), he bethought him of a fine poem of his own day, descriptive of Jahweh's great power and the inevitably destruction of his enemies. This he thought would make an excellent introduction... unfortunately he was none too familiar with the poem. Not only did he not remember all of it; he had forgotten the original order of what he retained... By devious paths he had arrived at s, which he wrote down, and then for the life of him he could think of no more. He gave it up and turned to the legitimate business of transcribing Nahum. But when he had copied as far as kh 'mr JHWH, a solitary couplet of the alphabetical poem strayed across his mind. It was the š..." (Composition 262ff).
[10] Nahum 134.

de nun dadurch erreicht, daß ein theologisch zentraler und schwergewichtiger Text vor dem Eingang des Buches aufgebaut wurde. Dieser, durch seine akrostichische Gliederung ohnehin zur Sentenzenkette neigende Text mit einer in mythologischen Farben gehaltenen Gerichtstheophanie bildet das theologische Gegengewicht zu dem säkularen Schlachtgemälde der Nahum-Dichtung. Jeder Leser mußte durch diesen Sakralbau hindurch, ehe er zu den Gedichten kam. Dessen feierliches Dämmerlicht umgab ihn, wenn er zu den Versen 1,12ff; 2,2ff etc. durchstieß. Doch offenbar wollten die Tradenten und theologischen Revisoren es nicht bei der reinen Architektur des Eingangsgebäudes belassen. Sie fügten explizite Sätze in Prosa hinzu, um deutlich zu machen, wie sie den Zusammenhang und den Sinn des Ganzen verstanden wissen wollten. Dies ist der Grund für die Zusätze in der Kopfzeile des Hymnus V. 2b.3a, bestehend aus dem (*n*-Zeile?) hervorgehobenen Doppelsatz von JHWH, der sich an seinen Feinden rächt, und dem Zitat aus dem alten Credo vom Richterhandeln Gottes aus Ex 34,6f.[11] Auf diese Weise wurden die beiden Kernaussagen der exilischen Trostschrift: Heil für Juda, Unheil für Assur in die theologische Perspektive des Hymnus gestellt: Gott der Rächer, zornig (1,2) und gütig (1,7) zumal, zwei Seiten seines Wesens, zugewandt jeweils, wem er sie zuwenden will. Und alles Folgende wird zum Exempel des Handelns Gottes, zum Paradigma für die Eschatologie. „They (sc. the oracles) now functioned as a dramatic illustration of the final, eschatological triumph of God over all his adversaries. From this testimony within scripture each generation of suffering Israel derived its hope."[12] Das überlieferte Korpus ist in ein ganz neues Licht getaucht. Das historische Geschehen wird zur Anschauung eines Glaubenssatzes. Das historische Ninive wird zum Symbol und Prototyp des Gottesfeindes.[13] Es ist völlig unwichtig, wer mit der „Blutstadt" (3,1) gemeint war; wichtig ist, daß an Feinde Gottes κατ' ἐξοχήν mit der Qualifikation Belijaal gedacht wird (1,11). Diese aber sind allgegenwärtig.

Wer so an die Prophetie Nahums herantritt, liest sie als apokalyptische Vorschau. Er kann dann nicht mehr unterscheiden zwischen Mythos und Vision, zwischen Theophanie und Theomantie. Nahums Gesichte versinken in dem apokalyptischen Panoptikum. Der Rahmen dominiert das

[11] Vgl. *Rudolph* 153f.

[12] Introduction 445, vgl. *Renaud*, Composition 214ff.

[13] Man beachte, daß Nahum selbst Theben zum Vorbild und Typos erhoben und dadurch für die spätere Typisierung bereits vorgearbeitet hat. Zu Ninive als Typus vgl. *Renaud*, Composition 215f, der auf Num 24,24; Mi 5,4f; Jona 3f; Ps 83,6ff; Tob 14,15 verweist. Dazu u. 2.

Bild. Man wird sich fragen müssen, ob dies im Sinne des Sehers und Sängers Nahum war. Man wird aber auch respektieren müssen, was die Tradenten aus der Tradition gemacht haben. Offenbar waren jene Gedichte in dieser Phase ihrer Überlieferung nur dann begreiflich und verwendbar, wenn sie als Endzeitvisionen verstanden werden konnten.
Jedenfalls zeichnet sich schon im frühen Rezeptionsprozeß der Nahum-Prophetie eine Auslegungsregel ab, die darin besteht, daß dem Rahmen des Buches mehr theologische Beachtung geschenkt wird als der zum Anschauungsmaterial degradierten Dichtung. Nahums Prophetie wurde zwar tradiert; rezipiert aber wurde das jeweils dazugehörige Vorwort. So schon bei der exilischen Schrift, so beim kanonischen Buch, so auch im Gesamtverständnis beim Nahum-Kommentar aus Qumran.

2. Interessant ist die Frage – der wir uns zuvor noch zuwenden –, wie die im ägyptisch-hellenistischen Milieu tätigen Übersetzer der *Septuaginta* mit den Aegyptiaca des Buches Nahum umgegangen sind. Die Antwort ist jedoch in verschiedener Hinsicht enttäuschend. In 3,8 scheinen die Übersetzer den Namen der Stadt richtig erkannt zu haben – wie in 3,9 die Namen für Äthiopien *(Kûš)*, Ägypten *(Miṣrajm)* und Libyen *(Lûbîm)*, nicht jedoch den Namen *Pûṭ*:[14] sie lasen ein Nomen (φυγή, das *pljṭ*, *nûd*, *nûs* o. ä.[15] entspricht). Sie schreiben: 'Αμων[16] ἡ κατοικοῦσα ἐν ποταμοῖς „Amon, das in/an den Flüssen liegt". Aber sie verkennen das davorstehende „Determinativ" *No'*[17] völlig, vielleicht weil es mit *min* komparativisch konstruiert ist (hebr. *mn'*). Da sie damit wenig anzufangen wußten, geben sie eine Alternativübersetzung: ἑτοίμασαι μερίδα „bereite den Anteil" – wobei μερίς *mnh* entspricht – und ἅρμοσαι χορδήν „stimme die Saiten" – χορδή nach *mnj* (vgl. Ps 45,9). Der erste Vorschlag wird zudem wiederholt, ehe der Vokativ „Amon" folgt. Man erwartete also grundsätzlich Hebräisch, las grundsätzlich hebräisch und zögerte, Ägyptisches im Text zu finden,[18] auch mit der Konsequenz, den Text dabei ungenau zu lesen (*mnh, mnj* statt *mn'*) oder völlig mißzuverstehen. Denn was soll die Aufforderung an Theben, den „Anteil zu bereiten" und im Untergang „die Saiten zu stimmen"?
Auf der anderen Seite hindert wohl die Übersetzer ihre Ortskenntnis

[14] = Punt, bab. *Puṭa*.
[15] ‚Flüchtling' (*lj* statt *w*) ist graphisch näher, ‚Flucht' semantisch näher.
[16] 1 Ms. αρμων, andere αμμων.
[17] HAL 621.
[18] Vgl. Jer 46,25: *mnN'* ist mit τὸν υἱὸν αὐτῆς (= hebr. *bnh*) wiedergegeben; dies entspricht Nah 3,8. Ez 30,14ff jedoch ist *No'* als Διόσπολις übersetzt.

daran, No Amon mit dem „großen Alexandria“ zu identifizieren, wie es das Targum und die Vulgata tun: Alexandria populorum.[19] War ihnen bewußt, daß „ihre“ Stadt Alexandria zur Zeit Nahums noch nicht existent war? Immerhin wäre dann ein positiver Einfluß auf die Übersetzungsarbeit festzustellen.

Daß sie sich gelegentlich geradezu krampfhaft am überlieferten Text festhielten, zeigt gleich das unmittelbar im Text von 3,8 folgende Beispiel. Dort stießen sie auf das hebräische Wort *ḥjl*, in 4QpNah *ḥjlh* geschrieben, das im Kontext von V. 8 nur von *ḥjl* II ‚Vorwerk‘, ‚Wall‘ herzuleiten ist und insofern einen Terminus technicus darstellt.[20] Nicht in Frage kommt *ḥjl* I ‚Macht‘, ‚Heer‘ o. ä., ein häufiger vorkommendes Wort im AT.[21] Dies läßt der Kontext nicht zu: „Wasser ringsum, sein *ḥjl* das Meer, Wasser seine Mauer“. Doch die Übersetzer hielten stur an *ḥjl* I fest. Obwohl sie oder ihresgleichen durchaus wußten, daß hebräisches *ḥjl (ḥl)* anderweitig die Vormauer bezeichnen kann, übersetzen sie – etwas ausweichend, wie die Konkordanz zeigt –: ἧς ἡ ἀρχὴ θάλασσα „seine Macht das Meer“. ἀρχή wird sonst nicht für *ḥjl/ḥl* verwendet,[22] dient aber hier offenbar als Kompromiß zwischen *ḥjl* ‚Macht‘, ‚Heer‘ und den Zwängen des Kontexts. Dachten sie dabei doch auch an Alexandria? Man weiß es nicht, genau so wenig, ob es die Masoreten taten, als aus dem *mjm* ‚Wasser‘ (4QpNah) ein *mijjām* „aus(?) dem Meer seine Mauer“ machten. ὕδωρ τὰ τείχη αὐτῆς „Wasser seine Mauern“, entsprechend der Pescher-Lesart Plural. Denn *jm* kann auch große Ströme bei Überschwemmung bezeichnen, so Jes 19,5; Jer 51,36 und wohl auch Nah 3,8. Doch was hinderte die Übersetzer, für *ḥjl* πρότειχος oder προτείχισμα (Vulgata: antemurale) zu sagen wie Jes 26,1 oder 2 Sam 20,15; Klgl 2,8?[23]

3. Zu besonderer Bedeutung kam das Buch Nahum in der *Schriftauslegung* der Gemeinde von *Qumran*. Unter den vielen Prophetenkommentaren ragt der *Pescher* heraus, der in vier Kolumnen zu den Texten 2,12f; 3,1–5; 3,6–9; 3,10–12 in etwa erhalten ist (4QpNah)[24] und wegen seiner Hinweise auf zeitgeschichtliche Begebenheiten in der ersten Hälfte des

---

[19] *Rudolph* 181.

[20] HAL 298. 10mal plene, 4mal defektiv *(ḥl)*.

[21] 243mal.

[22] Vgl. auch Obd 20, dort wohl auch aus Verlegenheit gebraucht für das irreguläre *hḥl*.

[23] Alle drei (und Obd 20) defektiv *ḥl*. An den plene-Stellen Ps 48,14; 122,7; Sach 9,4; Dan 11,7 übersetzt LXX δύναμις.

[24] *Allegro*, Further Light 90ff; DJD 5 37ff, XII,XIV; *Lohse*, Texte 262ff.

ersten vorchristlichen Jahrhunderts die besondere Aufmerksamkeit der Forschung erfahren hat.[25] Der Pescher 4QpNah stammt selbst etwa aus der Mitte des 1. Jahrhunderts v. Chr., also aus der Zeit der Herrschaft der Römer (= Kittäer) über Palästina. Er steht in der Tradition der Prophetenauslegung der essenischen Schriftgelehrten. Seine hermeneutischen Prämissen hat *G. Vermes*[26] in vier Punkten zusammengefaßt: 1. Die Worte der Propheten bieten Geheimnisse, die der Offenbarung und Auslegung bedürfen. 2. Der geheime Sinn bezieht sich auf Ereignisse der Endzeit. 3. Die Endzeit steht unmittelbar bevor, die Gegenwart ist endzeitlich. 4. Die richtige Auslegung der prophetischen Geheimnisse geht auf den „rechten Lehrer" zurück.[27]

Das Grundgerüst der Deutung der Nahum-Prophetie bilden die symbolische Erklärung der Namen der handelnden Personen und die damit gegebenen Identifikationen mit Zeitgenossen. So wird der in 2,12ff begegnende „Löwe" mit dem Hasmonäer Alexander Jannai (103–76) gleichgesetzt, wie der (nicht auftretende) „Aufschreckende" (2,12) mit dem Seleukiden Demetrius III. Eukairios. „Ninive" ist eine Chiffre für die „Stadt Ephraims", wodurch die Partei der Pharisäer bezeichnet wird. „No Amon" demgegenüber ist Chiffre für „Manasse", der Partei der Sadduzäer, während „Juda" Stammessymbol für die Essener, die Gemeinde der Ausleger ist. „Diese Unterteilung entspricht genau der in den Schriften des Josephus, und man kann daher, nach meiner Meinung, keine Zweifel darüber haben, daß sie der historischen Wirklichkeit entspricht" *(D. Flusser)*[28] – etwa in der ersten Hälfte des ersten Jahrhunderts v. Chr. Um diese Hauptakteure gruppieren sich die im Buch genannten Handlungsträger und formieren sich zu Szenen, die man in der Zeitgeschichte wiederfindet.

Das bekannteste Beispiel dieser Art ist die Auslegung des Löwengleichnisses in 2,12f. Den Satz von dem Löwen, der „seine Höhle und sein Lager mit Beute füllt", bezieht der Ausleger auf ein Ereignis des Jahres 90, als die Pharisäer den Seleukidenkönig gegen den sadduzäischen König zu Hilfe gerufen hatten und nach dem mißglückten Feldzug des Seleukiden grausam bestraft wurden. *„Seine Deutung bezieht sich auf den Zorneslöwen, [7][der] Todes[urteil] bdwršj hḥlqwt*[29] *(und) der Leute bei lebendigem*

[25] Literatur bei *Yadin*, Pescher Nahum 167ff, und *Fitzmyer*, Dead Sea Scrolls 27.
[26] Schriftauslegung (Qumran 185–200).
[27] Ebda. 193.
[28] *Flusser*, Pharisäer (Qumran 149).
[29] Wörtlich: „die nach glatten Dingen suchen", „gleisnerische Interpreten" (*Flusser*, Pharisäer [Qumran 126]).

Leibe hängt [8][an den Baum, weil dies Gesetz ist] in Israel von alters her, da der Gehängte ein an dem Baume noch Lebender genannt wird.«[30]

Wie im Spiegel erkennt der Ausleger im Nahum-Text seine eigene Situation. Das Szenario und die Rollen der Akteure sind prophetisch vorgezeichnet. Ohne Rücksicht auf den weltpolitischen Großrahmen der Nahum-Gedichte werden ihre Handlungsmuster auf die internen Rivalitäten der Parteien oder „Schulen" oder „Sekten" der Pharisäer, Sadduzäer und Essener bezogen und natürlich ganz aus der Perspektive „Judas", d. i. der essenischen Qumrangemeinde. Innerjüdische Auseinandersetzungen erhalten so durch Nahums Prophetie den Charakter der Prädestination. Ihr Verlauf wie ihr Ende liegen fest. So ist das parteiliche Urteil über die Rivalen, vor allem die erfolgreichen Pharisäer biblisch sanktioniert. Sie sind „Verführer" (II 8); ihre Lehre ist „trügerisch", ihre Sprache „gleisnerisch"; als echten Niniviten steht ihr Untergang bevor.

Dient der Pescher zunächst der eigenen Identitätsfindung und Rechtfertigung in Abgrenzung und „Angriff gegen die anderen jüdischen Sekten",[31] tritt die aus den Endzeitereignissen zu gewinnende Lehre von den letzten Dingen nicht so stark hervor. Doch es gibt dafür die plausible Erklärung, daß die Eschatologie wohl vor allem in der Auslegung von Nah 1 zum Zuge kam, welche nicht erhalten ist.[32] Die Fragmente setzen ja erst mit Nah 2,12, also vergleichsweise spät ein, wobei nicht damit zu rechnen ist, daß Nah 1 gleich wie Hab 3 bewußt übergangen ist. Die Aussagen über „Judas Heil" in 1,12ff sind in der Logik der symbolisch-typologischen Auslegung auf die Qumrangemeinde zu beziehen. Von da aus ist es wahrscheinlich, daß der in III 3ff begegnende Hinweis auf die „Herrlichkeit Judas" *(kbwd Jhwdh)* im positiven Sinn gemeint ist und sich auf die bevorstehende Heilszeit bezieht.[33]

Nahums Prophetie dient der Gemeinde der letzten Tage um die Mitte des ersten vorchristlichen Jahrhunderts als Orientierung über die eigene Situation. Auf der Tafel der geweissagten Ereignisse fixiert man nach der Bestimmung der Akteure und der geschichtlichen Abläufe[34] – Hinrichtung der 800 Pharisäer, Einbruch der Römer – die augenblickliche Posi-

---

[30] I 7f nach *Yadin* (Qumran 183), vgl. *Lohse*, Texte 263.

[31] *Yadin*, Pescher Nahum (Qumran 170).

[32] Es fehlen ca. 6 Kolumnen am Anfang, 2 am Ende. Zusammen mit den 4 fragmentarisch erhaltenen ergibt sich ein Gesamtumfang von ca. 12 Kolumnen.

[33] Vgl. *Flusser*, Pharisäer (Qumran 124), anders die Übersetzung bei *Lohse*, Texte 265.

[34] *Josephus* Jud. I 92–97; Ant. XIII 376–383.

tion. Die symbolische Auslegung sieht die Wegzeichen und versichert die Gemeinde des rechten Weges zur Herrlichkeit.
Man wird angesichts dieses Pescher die Frage stellen dürfen, ob je danach eine Auslegung der Prophetie Nahums wieder eine solche Bedeutung erlangt hat. Gewiß steht auch 4QpNah in einer Reihe von Prophetenauslegungen, die den Kontext dieser Aktualisierungen bilden wie die (modernen) Kommentare, welche Nahum gewöhnlich im Rahmen des Zwölfprophetenbuches auslegen. Doch ist die gesonderte Auslegung und Aktualisierung in diesem Pescher unter den gegebenen Voraussetzungen von einer solchen Konsequenz, daß man sich schwer eine größere Wirkung vorstellen kann. Die Bedeutung Nahums scheint im ersten Jahrhundert v. Chr. ihren wirkungsgeschichtlichen Höhepunkt erreicht zu haben.

4. Im Unterschied zu den Essenern in Qumran ist aus der *neutestamentlichen Gemeinde* kein Echo auf Lektüre und Verständnis des Nahum-Buches überliefert.[35] Schlüsse *e silentio* können wegen der Zufälligkeiten der Überlieferung keine gezogen werden. Doch wird man sagen können, daß dieses „Schweigen" dazu beigetragen hat, daß dieses Buch in der christlichen Überlieferung keinen erkennbaren Stellenwert bekommen hat. –
Die Beobachtungen zur Wirkungsgeschichte müssen hier abgebrochen werden. Es fehlt fast ganz an Vorarbeiten.[36] Im Rahmen einer Bibelstudie ist diese Lücke nicht zu füllen. Aus sporadischen Einblicken in die Auslegungsgeschichte gewinnt man den Eindruck, daß das Buch bis zur Neuzeit keine Sonderbedeutung mehr erlangt hat, vielmehr wie alle Prophetenbücher aufgenommen und ausgelegt wurde. Erst die historische Forschung des 19. Jahrhunderts hat ein spezielles Interesse für diesen Propheten entwickelt, wobei es zu den Diskussionen um seine Einordnung kam, von der eingangs zu berichten war.[37]

---

[35] Die drei aus Jes 52,7 oder/und Nah 2,1 in Apg 10,36 zitierten Wörter können als solches Echo kaum gewertet werden. *Rudolph* ist der Meinung, Nah 3,4 hätte in der endzeitlichen Schau von der „großen Buhlerin, die an vielen Wassern sitzt", in Offb 17,1f.15.18 „seine Spuren hinterlassen" (190). Doch ist ein direkter Einfluß fraglich.

[36] Vgl. die Liste der Auslegungen in RGG³ 1298. Besonders zu nennen ist vielleicht *W. Windfuhr*, Der Kommentar des David Kimchi zum Propheten Nahum (1927). Ein Werk wie *P. Jöckens* Buch zur Auslegungsgeschichte Habakuks fehlt bisher.

[37] I.

IX. Rückblick

Dem rückschauenden Betrachter bleiben Fragen, von denen wenigstens einige hier abschließend angesprochen werden sollen.

(1) Zuerst noch einmal die Frage der *Historizität* des Sehers und Sängers Nahum von Elqosch. An der Zuverlässigkeit der Angaben der Überschrift ist sicher nicht zu zweifeln. Nach allem, was historisch wahrscheinlich ist, lebte er um die Mitte des 7. Jahrhunderts und verfaßte jene wenigen, uns erhaltenen Gedichte oder Lieder. Mehr ist nicht bekannt. Man könnte sich vorstellen, daß der Elqoschite(r) so etwas wie ein fahrender Sänger war, an keinen festen Ort gebunden, vielleicht zugleich ein Söldner in assyrischen Diensten, der die Feldzüge Assurbanipals nach Ägypten mitgemacht hat, vielleicht auch in Ninive war. Mit einiger Phantasie ließe sich da ein Landsknechtleben vorstellen, und wer will, könnte ihn auch mit dem assyrischen Soldatenhelm in Beziehung bringen, der zu den wenigen Zeugnissen der assyrischen Invasion gehört, die bei Ausgrabungen in Theben West gefunden wurden.[1]

Auch könnte man vermuten, daß der mutige Sänger trotz seines Inkognitos denunziert, ergriffen und möglicherweise von den eigenen Leuten zum Tode verurteilt wurde. Das merkwürdig unmotiviert im Textzusammenhang überlieferte Todesurteil über einen Anarchisten (1,11.14), dazuhin formuliert unter Berufung auf die deuteronomistische Orthodoxie, könnte darauf deuten (vgl. Dtn 13 und Sach 13). Sollte es das Todesurteil Nahums sein, des „Friedensboten" ausgerechnet – wie ihn 1,12; 2,1 präsentiert? Man denkt unwillkürlich an das „gewaltsame Geschick der Propheten"[2], an den einige Jahrzehnte jüngeren Jeremia oder den Gottesknecht von Jes 53. Sicher ist, daß sich Nahum extrem exponiert hat. Es wäre in der Tat ein Leichtes gewesen, ihn als „falschen Propheten" in judäischer Sicht oder als subversiven Agitator in assyrischem Interesse zu verurteilen. – Doch geht das weit über das hinaus, was beweisbar und darum historisch verantwortbar ist.

Historische Möglichkeiten sind keine Realitäten, und der Helm von Theben trägt keinen Namen. Und so bleibt der Zugang zu den Texten die einzige Möglichkeit, dem Seher und Sänger Nahum zu begegnen. Dank

---

[1] Vgl. IV.2. Die präzisen Angaben zur Situation Thebens, an den Nilläufen, am überschwemmten Nil, die Kenntnis der Abläufe der Eroberung, Plünderung, Deportation, ohne Zerstörung, deuten darauf, vgl. *Schneider*, Theben.

[2] So nach dem Titel von *O. H. Stecks* wichtigem Buch.

der Möglichkeiten der hebräischen Sprach- und Literaturwissenschaft gestaltet sich diese überraschend lebendig. Den Ausleger muß wundern, daß man, trotz der langen Überlieferungsgeschichte bis hin zu den masoretischen Fixierungen, die Lied- oder Gedichtrhythmen noch teilweise sehr deutlich erkennen und vernehmen kann;[3] daß diese so jedenfalls partiell die Zeiten überdauert haben. Schlechter steht es mit den Inhalten der Aussagen sicher nicht, so daß man eigentlich darauf vertrauen kann, in etwa verstehen zu können, was der Prophet gesagt hat. Schwerer ist schon zu hören und zu realisieren, was er gemeint hat.

(2) Eine andere Frage ist das Phänomen der *Säkularität* der Texte. *H. Schmidt* war es, der Nahum einen „Heinrich von Kleist des jüdischen Volkes“[4] nannte, weil er ihn für einen „Verkünder“ von „Empfindungen“ hielt, die er mit der „Stimmung… in Preußen im Winter 1812, als die ersten Gerüchte von der Vernichtung der großen Armee (scil. Napoleons) auf den Schneefeldern Rußlands ankommen“. „Glühender Rachedurst… fand plötzlich Worte auf allen Gassen.“[5]

Hier bricht ein Grundproblem der Prophetendeutung vor allem früherer Generationen auf. Waren Propheten, auch Heils- oder Kultpropheten (und gegebenenfalls selbst sogenannte „falsche“ Propheten) eigentlich Verkünder von Stimmungen, von „Empfindungen“, seien es solche persönlicher oder nationaler Art? So sehr der Dichter-Vergleich für die Propheten zu einem Teil zutrifft, so sehr ist doch auch das hier unterstellte – und im Blick auf Kleist fast auch ein wenig groteske[6] – Bild des Dichters einseitig und dürftig. Was den Vergleich herausgefordert hat, ist wohl die „wunderbare Schönheit dieser Schilderung“ in ihrer ganzen Weltlichkeit.

Und in der Tat ist es erstaunlich, daß ein altisraelitischer Seher und Sänger, der nachmals als Prophet eingestuft wird, sich nahezu vollständig einer profanen, nichtkultischen, untheologischen Sprache bedient hat. Die einzigen expliziten theologischen Elemente sind der Begriff „Schlag Ninives“ (3,19 – falls authentisch), die hintergründige Vergleichsfrage: „Bist du besser als No“ (3,8) und – wenn man will – der traditionelle Weheruf (3,1.4). Aber nicht einmal daraus lassen sich theologische Aussagen direkt ableiten. Die Tradition hat es auch nur beim Weheruf versucht – durch Rahmenbindung an die herkömmliche, sogenannte „Herausfor-

---

[3] Zu verweisen ist noch einmal auf Verse wie 2,2; 2,5; 2,11; 3,2; 3,8; 3,14 u. a. m.

[4] SAT [1]1915, 168.

[5] Ebda. 167.

[6] *H. Schmidt* denkt wohl an den Kleist der „Hermannsschlacht“ (erschienen 1821).

derungsformel", welche eine Intervention „JHWHs der Heerscharen" ansagt. Diese Deutung bleibt zwar wahrscheinlich nahe bei Nahums Redeabsicht, doch hat er sich offenbar bewußt so nicht geäußert. Ihm lag an der Weltlichkeit der Aussage. Ungewiß bleiben darum die theologischen Voraussetzungen. Er hielt es jedenfalls für möglich und nötig, sich auf solche Weise mit seiner Vision Gehör zu verschaffen. Man kann sich fragen, ob es zur Tradition der Seher gehörte, sich in einem „Ausspruch" möglichst sachbezogen, d.i. politisch zu äußern. Dennoch kann kein Zweifel sein – und darin haben ihn die ihn theologisch ausrüstenden Tradenten sicher richtig verstanden –, daß Nahum sich implizit auch theologisch äußern wollte.

Von der Bewegung der geschichtlichen Abläufe und ihrer Gesetzmäßigkeit war schon die Rede. Nahum sieht, wie sich die Ereignisse in unheimlicher Folgerichtigkeit geradezu zwangsläufig vollziehen (Szenengedicht). Für ihn ist es keine Frage, wer dieses Räderwerk mit dem Ziel der Vernichtung Ninives in Gang setzt. Erfüllt sich ein Fatum?[7] Auch dies, nur ist es zielgerichtet gesteuert und planvoll durchgeführt. Ist es abwegig, an das Wort von „Gottes Mühlen" zu denken, die langsam, aber trefflich fein mahlen?[8] Wahrscheinlich sah Nahum in diesem Räderwerk der Geschichte die Manifestation des göttlichen Willens, wenn er auch nicht mitteilt, wie er zu dieser Einsicht gekommen ist.

Aber nicht nur die sich fortwälzende Bewegung der geschichtlichen Veränderungen ist Nahums geheimes theologisches Thema, auch die Struktur der Abläufe, der Untergang der weltlichen Mächte ist ein Phänomen, das ihn fasziniert. No Amon zuerst, dann Ninive! Beide repräsentieren Supermächte, beide bilden als Großstädte Spitzenleistungen menschlich-politischer Möglichkeiten. Für Phänomene dieser Dimension fehlen dem Betrachter die Vorstellungskategorien und sprachlichen Ausdrucksmittel. Nahum behilft sich mit einer Redimensionierung. Er reduziert die weltpolitischen Horizonte auf ein begreifliches Maß. Er sieht die Akteure im kleinstädtischen Milieu angesiedelt. Die Weltstädte sind Frauen – nicht einmal Göttinnen! Ninive ist Mörderin und Hure zugleich (3,1.4). Die Eroberung der Weltstädte wird wie die einer Provinzstadt geschildert – die Szenenanlage erweckt diesen Eindruck. Auf dieser niedereren, aber vertrauteren Ebene vollzieht sich wie auf der Bühne das Schicksal der Großmächte. Die Darstellung ist für den judäischen Zuhörer und Zuschauer bemessen und zugeschnitten.

---

[7] „Der femme fatale blüht ihr fatum." So *Krieg* zur Stelle 3,1ff (Todesbilder 434).

[8] *Rudolph* zitiert das Sprichwort zu 1,2f (154).

Die redaktionellen Vorgänge der theologischen Integration der Visionen nehmen sich von daher gesehen aus wie Korrekturen und Nachbesserungen. Sie sind theologisch deutlich konturiert und dogmatisch ausgewogen. Sie bieten eine explizite Theologie. Doch sie verstellen möglicherweise den Einblick in das Ringen eines Sehers und Dichters um Phänomene der Realität, die ihm ganz neu bewußt geworden sind und für die er den seiner Zeit gemäßen Ausdruck noch suchte.

X. Bibliographie

1. Kommentare

Ältere Kommentare s. RGG^3 1298 (im Text nur mit Namen zitiert)

H. Ewald 1840 ^{2}1867 1875
P. Kleinert 1874 ^{2}1893
F. Hitzig, H. Steiner KeH ^{4}1882
C. F. Keil BC 1868 ^{3}1888
C. von Orelli SZA 1888 ^{2}1896 ^{3}1908
J. Wellhausen 1892 ^{3}1898 (^{4}1963)
A. B. Davidson CB 1896
W. Nowack HK 1897 ^{2}1904 ^{3}1922
G. A. Smith ExB 1898 ^{2}1928
O. Happel 1902
K. Marti KHC 1904
S. R. Driver CB 1906
A. van Hoonacker EB 1908
B. Duhm 1910
O. Procksch 1910
J. M. P. Smith ICC 1911 (1948)
H. Schmidt SAT 1915 ^{2}1923
E. Sellin KAT 1922 $^{2-3}$1930
H. Guthe HSAT 1922 ^{4}1923
G. G. V. Stonehouse WC 1929
F. Horst HAT 1936 ^{2}1954 (^{3}1964)
A. H. Edelkoort 1937
H. Junker HSAT 1938
F. Nötscher EB 1948
K. Elliger ATD 1949 ^{8}1982
W. A. Maier 1959
H. Lamparter BAT 1960
J. H. Eaton TBC 1961
J. L. Mays OTL 1969ff
C. A. Keller CAT 1971
W. Rudolph KAT 1975
D. W. Watts CNEB 1975
A. S. van der Woude POT 1978
A. Deissler NEB 1984
R. L. Smith WBC 1984

2. Andere Literatur

Allegro, J. M., Further Light on the History of the Qumran Sect: JBL 75 (1956) 89–93 (pl. 1).
–, More Unpublished Pieces of a Qumran Commentary on Nahum (4QpNah): JSS 7 (1962) 304–308.
–, -*A. A. Anderson*, Discoveries in the Judaean Desert of Jordan V, Qumran Cave 4, I, Oxford 1968 (37–42, pl. XII, XIV).
Allis, O. T., Nahum, Niniveh, Elkosh: EvQ 27 (1955) 67–80.
Arnold, W. R., The Composition of Nahum 1 – 2_3: ZAW 21 (1901) 225–265.
Avigad, N., Hebrew Bullae from the Time of Jeremiah. Remnants of a Burnt Archive, Jerusalem 1986 (Lit. 131f).

Balaban, M., Proto-Nahum und die Geschichtsphilosophie (Nah 3,9–11.18a. 19c.2,1), CV 1962, 234-243.
Bickell, G., Die hebräische Metrik: ZDMG 34 (1880) 557–563.
–, Das alphabetische Lied in Nah 1,1 – 2,3, SAW 1894/V.
Bič, M., Trois prophètes dans un temps de ténèbres. Sophonie – Nahum – Habaquq, Paris 1968.

Billerbeck, A. s. Jeremias.
Blenkinsopp, J., A History of Prophecy in Israel, Colchester-London 1984.
Boer, P. A. H. de, An Inquiry into the Meaning of the Term maśśā': OTS 5 (1948) 197–214.
Borger, R., Ninive, BHHW II 1315f.
–, Babylonisch-Assyrische Lesestücke, Analecta Orientalia 54, Rom ²1979.
Bosshard, E., Beobachtungen zum Zwölfprophetenbuch: BN 40 (1987) 30–62.
Brunner, H., Ein assyrisches Relief mit einer ägyptischen Festung: AfO 16 (1952/53) 253–262.
Burkert, W., Das hunderttorige Theben und die Datierung der Ilias, in: Wiener Studien, ZKPhP 89 (1976) 5–21.

Cathcart, K. J., Nahum in the light of Northwest Semitic, BiOr 26 (1973).
–, Treaty Curses and the Book of Nahum: CBQ 35 (1973) 179–187.
–, More Philological Studies in Nahum: JNSL 7 (1979) 1–12.
Childs, B. S., Introduction to the Old Testament as Scripture, London 1979.
Christensen, D. L., The Acrostic of Nahum Reconsidered: ZAW 87 (1975) 17–30.
–, The Acrostic of Nahum Once Again: ZAW 99 (1987) 409–415.
Cochrane, J. S., Literary Features of Nahum, Diss. Dallas Theol. Sem. 1954.
Coggins, R., An alternative prophetic tradition?, in: *R. Coggins* (*et al. Hg.*), Israel's Prophetic Tradition. Essays in Honour of P. Ackroyd, Cambridge 1982, 77–94.

Dayagi-Mendels, M. s. *Hestrin.*
Delcor, M., Allusions à la déesse Ishtar en Nahum 2,8?: Bib 58 (1977) 73–83.
Delitzsch, F., Die Psalmen ¹1859/60; ²1867; ⁵1894 (1984).
Delitzsch, Fr., Die Lese- und Schreibfehler im Alten Testament, Berlin – Leipzig 1920.
Diringer, D., Le iscrizione antico-ebraiche palestinesi, Florenz 1934.
Donner, H., Geschichte des Volkes Israel und seiner Nachbarn in Grundzügen, 2 Bde., Grundrisse zum Alten Testament 4, Göttingen 1984/86.
Doorslaer, J. van, No Amon: CBQ 11 (1949) 280–295.
Driver, G. R., Farewell to Queen Huzzab!: JThSt 15 (1964) 296–298.
Duhm, B., V. Das Buch Nahum: ZAW 31 (1911) 100–107.
–, Israels Propheten, Tübingen ²1922.

Ehrlich, E. L., Der Aufenthalt des Königs Manasse in Babylon: ThZ 21 (1965) 281–286.
Eißfeldt, O., Einleitung in das Alte Testament, Tübingen ³1964.
Emerton, J. A., Sheol and the sons of Belial: VT 37 (1987) 214–218.
Eybers, I. H., A note concerning the date of Nahum's Prophecy: OTWSA 1969, 9–12.

Fensham, F. C., Legal activities of the Lord according to Nahum: OTWSA 1969, 13–20.
Fitzmyer, J. A., The Dead Sea Scrolls. Major Publications and Tools for Study, Sources for Biblical Study 8, Missoula 1977.
Flinders Petrie, W. M., Six Temples at Thebes. 1896, London 1897.
Flusser, D., Pharisäer, Sadduzäer und Essener im Pescher Nahum (hebr. 1970), in: Grözinger, K. E. (Hg.), Qumran, WdF 410, 121–166.

Fohrer, G. (-Sellin, E.), Einleitung in das Alte Testament, Heidelberg [10]1965.

Gaster, Th. H., Two Notes on Nahum: JBL 63 (1944) 51–52.
George, A., Le livre de Nahum, DBS VI 291–301.
Glück, J. G., Pārūr – pā'rūr – a case of biblical paronomasia: OTWSA 1969, 21–26.
Görg, M., Eine formelhafte Metapher bei Joel und Nahum: BN 6 (1978) 12–14.
Graham, W. C., The Interpretation of Nahum 1:9–2:3: AJSL 44 (1927/28) 37–48.
Grözinger, K. E. u. a. (Hg.), Qumran, WdF 410, Darmstadt 1981.
Gunkel, H., Nahum 1: ZAW 13 (1893) 223–244.

Haldar, A., Studies in the Book of Nahum, Uppsala 1947.
Haller, M., Nahum RGG[2] IV 406–407.
Happel, O., Der Psalm Nahums (Nahum I), Würzburg 1900.
Haupt, P., The Book of Nahum: JBL 26 (1907) 1–53.
Hestrin, R., Dayagi-Mendels, M., Inscribed Seals. First Temple Period, Jerusalem 1979.
Hölscher, G., Die Profeten, Leipzig 1914.
Holladay, W. L., Jeremiah 1, Hermeneia, Philadelphia 1986.
Hornung, E., Grundzüge der ägyptischen Geschichte, Darmstadt 1978.
Horst, F., Die Doxologien im Amosbuch: ZAW 47 (1929) 45–54 (Gottes Recht. Studien zum Recht im Alten Testament: ThB 12, 1961, 155–166).
–, Nahumbuch, BHHW II 1282f.
Humbert, P., Essai d'analyse de Nahoum 1_2 – 2_3: ZAW 44 (1926) 266–280.
–, La vision de Nahoum 2_{4-11}: AfO 5 (1928/29) 14–19.
–, Le problème du livre de Nahoum: RHPhR 12 (1932) 1–15.
–, Die Herausforderungsformel „hinnenî êlékâ": ZAW 51 (1933) 101–108 (Opuscules 1958, 44–59).

Jaroš, K., Hundert Inschriften aus Kanaan und Israel, Fribourg 1982 (Lit.).
Jeremias, J. – Billerbeck, A., Der Untergang Niniveh's und die Weissagungsschrift des Nahum von Elkosch, BAS 1898.
Jeremias, J., Theophanie, WMANT 10 (1965).
–, Kultprophetie und Gerichtsverkündigung in der späten Königszeit Israels, WMANT 35 (1970) 11–55.
Jöcken, P., Das Buch Habakuk, BBB 48 (1977).

Kaiser, O., Einleitung in das Alte Testament. Eine Einführung in ihre Ergebnisse und Probleme, Gütersloh [5]1984.
–, Das Buch des Propheten/Der Prophet Jesaja, ATD 17/18 (1973/81).
Keller, C. A., Die theologische Bewältigung der geschichtlichen Wirklichkeit in der Prophetie Nahums: VT 22 (1972) 399–419.
Kitchen, K. A., The Third Intermediate Period in Egypt (1100–650 B.C.), Warminster 1972.
Kleinert, P., Nahum und der Fall Ninives: ThStKr 83 (1910) 501–534.
Koch, K., Die Profeten I. Assyrische Zeit, UT 280, Stuttgart-Berlin-Köln-Mainz 1978.
Krieg, M., Todesbilder im Alten Testament oder: „Wie die Alten den Tod gebildet", AThANT 73 (1988).
Kuhl, C., Die Entstehung des Alten Testaments, Bern 1953.

Leclant, J., Montouemhat, quatrième prophète d'Amon, Prince de la Ville, Kairo 1961.
–, Recherches sur les monuments thébains de la XXVe dynastie dite éthiopienne, Kairo 1965.
Lemaire, A., Incriptions Hébraiques I: Les Ostraca, Littératures anciennes du Proche-Orient, Paris 1977.
Lods, A., Trois études sur la littérature prophétique: RHPhR 11 (1931) 211–219.
Lohse, E., Die Texte aus Qumran, Darmstadt 1964 ([4]1986) 262–267.

Maag, V., B[e]lījaᶜal im alten Testament: ThZ 21 (1965) 287–299 (Kultur, Kulturkontakt und Religion. Gesammelte Schriften zur allgemeinen und alttestamentlichen Religionsgeschichte, Göttingen-Zürich 1980, 221–233).
Malamat, A., The Historical Background of the Assassination of Amon, King of Judah: IEJ 3 (1953) 26–29.
McKane, W., *mś'* in Jeremiah 23_{33-40}, in: Prophecy, FS *G. Fohrer*, BZAW 150 (1980) 33–54.
Mihelic, J. L., The Concept of God in the Book of Nahum: Int 2 (1948) 199–208.
Morenz, S., No, BHHW II 1316f.

Naveh, J., Early History of the Alphabet, Jerusalem-Leiden 1982.
Noth, M., Die israelitischen Personennamen im Rahmen der gemeinsemitischen Namengebung, BWANT III 10, Stuttgart 1928.

Olivier, J. P. J., The concept day in Nahum and Habakkuk: OTWSA 1969, 71–74.
Osswald, E., Nahumbuch, RGG IV 1296–1298.
Otto, E., Ägypten. Der Weg des Pharaonenreiches, UT 4, 1953 ([3]1958).

Parrot, A., Nineveh and the Old Testament, London 1955.
Pritchard, J. B., Hebrew Inscriptions and Stamps from Gibeon, Pennsylvania 1959.

Renaud, B., La composition du livre de Nahum: ZAW 99 (1987) 198–219.
Rowley, H. H., Nahum and the Teacher of Righteousness: JBL 75 (1956) 188–193.
Rudolph, W., Jeremia HAT 12, [2]1958.

Saggs, H. W. F., Nahum and the Fall of Ninive: JThSt 20 (1969) 220–225.
Schmidt, H., Ein Psalm im Buche Habakkuk: ZAW 62 (1950) 54–63.
Schneider, Th., Nahum und Theben. Zum topographisch-historischen Hintergrund von Nah. 3,8f.: BN (voraussichtlich).
Schulz, H., Das Buch Nahum. Eine redaktionskritische Untersuchung, BZAW 129 (1973).
Selms, A. van, The alphabetic hymn in Nahum 1: OTWSA 1969, 33–45.
Seybold, K., Das Herrscherbild des Bileamorakels Num. 24,15–19: ThZ 29 (1973) 1–19.
–, Die Verwendung der Bildmotive in der Prophetie Zefanjas, in: H. Weippert/ K. Seybold/M. Weippert, Beiträge zur prophetischen Bildsprache in Israel und Assyrien, OBO 64 (1985) 30–54.
–, Satirische Prophetie. Studien zum Buch Zefanja, SBS 120 (1985).
–, Vormasoretische Randnotizen in Nahum 1: ZAW (voraussichtlich).
Shilo, Y. – Tarler, D., Bullae from the City of David: BA 49/4 (1986) 197–209.

Smend, R., Die Entstehung des Alten Testaments, ThW 1, Stuttgart-Berlin-Köln-Mainz 1978 (^{3}1984).
Spalinger, A., Assurbanipal and Egypt: A Source Study: JAOS 94 (1974) 316–328.
Spieckermann, H., Juda unter Assur in der Sargonidenzeit, FRLANT 129 (1982).
Staerk, W., Zu Habakkuk i 5–11: ZAW 51 (1933) 1–28.
Stamm, J.J., Beiträge zur hebräischen und altorientalischen Namenkunde, OBO 30 (1980).
Steck, O.H., Israel und das gewaltsame Geschick der Propheten, WMANT 23 (1967).
Streck, M., Assurbanipal und die letzten assyrischen Könige bis zum Untergange Niniveh's, 3 Bde. Vorderasiatische Bibliothek, Leipzig 1916.

Tournay, R., Recherches sur la chronologie des psaumes: RB 65 (1958) 321–357 (1. Le psaume de Nahum: 328–335).
Tufnell, O. (et al., Hg.), Lachis III. The Iron Age, London 1953.

Vermes, G., Schriftauslegung in Qumran in ihrem historischen Rahmen (1975): Qumran 185–200.
Volck, W., Nahum, der Prophet, RE XIII 623–625.
Vries, S.J. de, The Acrostic of Nahum in the Jerusalem Liturgy: VT 16 (1966) 476–481.
Vycichl, W., Ägyptische Ortsnamen in der Bibel. Theben, die Stadt des Amon: ZÄS 76 (1940) 82–88.

Watson, W.G.E., Classical Hebrew Poetry. A Guide to its Techniques, JSOT Supplements 26, Sheffield 1984.
Weiss, R., A comparison between the massoretic and the Qumran texts of Nahum III,1–11: RQ 4 (1963/4) 433–439.
Westhuizen, J.P. van der, A proposed new rendering of Nah 1:5b: OTWSA 1969, 27–32.
Windfuhr, W., Der Kommentar des David Kimchi zum Propheten Nahum, Gießen 1927.
Woude, A.S. van der, The Book of Nahum: A Letter Written in Exile: OTS 20 (1977) 108–126.
Wyk, W.C. van, Allusions to „Prehistory“ and History in the Book of Nahum, in: FS A. van Selms, Leiden 1971, 222–232.

Yadin, Y., Pescher Nahum (4QpNahum) erneut untersucht: IEJ 21 (1971) 1–12 (Qumran, 167–184 Lit.).

Zeissl, H. von, Äthiopen und Assyrer in Ägypten, ÄgF 14 (1944).

Abkürzungen

ÄgF	Ägyptologische Forschungen
AfO	Archiv für Orientforschung
AHw	Akkadisches Handwörterbuch, hg. v. *W. von Soden,* Wiesbaden 1965ff.
ANEP	Ancient Near East in Pictures relating to the Old Testament, hg. v. *J. Pritchard,* Princeton 1954 (1969)
ANET	Ancient Near Eastern Texts relating to the Old Testament, hg. v. *J. Pritchard,* Princeton ³1966
ATD	Das Alte Testament Deutsch
AThANT	Abhandlungen zur Theologie des Alten und Neuen Testaments
BA	Biblical Archaeologist
BAL	Babylonisch-assyrische Lesestücke, hg. v. *R. Borger,* Rom ²1979
BAS	Beiträge zur Assyriologie und zur semitischen Sprachwissenschaft
BAT	Die Botschaft des Alten Testaments
BBB	Bonner Biblische Beiträge
BC	Biblischer Commentar über das Alte Testament
BDB	A Hebrew and English Lexicon of the Old Testament, hg. v. *F. Brown, S. R. Driver, Ch. A. Briggs,* Oxford 1979
BHHW	Biblisch-Historisches Handwörterbuch, hg. v. *L. Rost* und *B. Reicke,* Göttingen 1962–66
Bib	Biblica
BiOr	Bibliotheca Orientalis
BM	British Museum
BN	Biblische Notizen
BWANT	Beiträge zur Wissenschaft vom Alten und Neuen Testament
BZAW	Beihefte zur Zeitschrift für die alttestamentliche Wissenschaft
CAD	Assyrian Dictionary of the Oriental Institute of the University of Chicago
CAT	Commentaire de l'Ancien Testament
CB	Cambridge Bible
CBQ	Catholic Biblical Quarterly
CNEB	Cambridge Bible Commentary on the New English Bible
CV	Communio viatorum
DBS	Dictionnaire de la Bible, Supplément
DJD	Discoveries in the Judaean Desert
EB	Echter-Bibel
EvQ	Evangelical Quarterly
ExB	Expositor's Bible
FRLANT	Forschungen zur Religion und Literatur des Alten und Neuen Testaments
GB	Hebräisches und aramäisches Handwörterbuch, hg. v. *W. Gesenius, F. Buhl*
Ges.¹⁸	Gesenius¹⁸ A., hg. v. *R. Meyer, H. Donner,* 1987
HAL	Hebräisches und aramäisches Lexikon zum Alten Testament, hg. v. *W. Baumgartner, J. J. Stamm,* ³1967ff.
HAT	Handbuch zum Alten Testament